e世界 ③

商務的未來

——電子商務與電子金錢

溫世仁／著・蔡志忠／繪圖・侯吉諒／整編

【序一】

啟蒙眾生

俞新昌（康柏大中國區總裁）

溫先生以精闢的見解和熟練的手法向廣大讀者深入淺出地介紹了當今世界上最熱門的話題——電子商務。

首先他以「買一碗麵的商務活動」來闡明「物流錢流」的基本商務行爲，進而導入了由商業行爲而衍生的「資訊流」的概念。電子商務是二十一世紀的新的商業模式，而資訊流卻是電子商務的基石和動力。

書中第三、四章具體講述了未來電子商務活動的特性及它給我們帶來的好處，及電子現金的具體涵意。最後，以二者的結合對社會及人類生活帶來的影響作爲總結。

本書作者學有所長，事業有成。而今以「啓蒙眾生」的普及方式將自己的學識和寶貴的實踐經驗與大家分享，對社會大眾的貢獻值得我們欽佩和學習。

【序二】

無限可能的未來

徐重仁（統一超商總經理）

科技的進步是我們生活習慣所無法追上的。網際網路在最近幾年的興起，改變了許多人的生活方式，也重新定義許多產業的遊戲規則。零售服務業雖然看起來置身於這波浪潮之外，但是我常常在想，科技帶來的改變，我們一定要去掌握。可能一般人以爲，便利商店能利用電子商務（E-Commerce）的程度不大，但是由本書中，作者的想法給我們許多啓示，其實便利商店可以做的事情真的很多。

在產業的定義上，我覺得便利商店是屬於「情報產業」，我們希望提供給顧客最新的產品，最新的服務，當然還要透過提供高品質的顧客價值，滿足現代人對「新」、「快速」的需求。科技增加了消費者上述的需求，也給了我們更多的機會和挑戰。所以，誰能掌握這個趨勢，滿足顧客的需求，誰才能在下一個世紀來臨時，繼續獲得消費者的支持。

電子商務並不是只有在網路放上企業的網頁而已，本書中作者給了我們一些深入的分析和指引：「資訊流」在錢流和物流外，點出電子商務的精髓，就是要做到整個產銷流程達到「零交期」，亦即商品庫存的流動，透過電了網路的聯繫，在銷售和生產之間，達成一種連續不中斷的最佳狀況，供應商和零售商之間，都沒有庫存的壓力，可以大幅減少企業的經營成本（overhead）。另外透過互動式的網路交易，可以在線上解決顧客的問題，更重要的是可以更有效率地蒐集顧客資訊，真正解決企業對「顧客在哪裡」的殷切渴望。

所以網際網路的電子商務改變了我們一般既定印象的供應鏈，在未來，供應鏈應該是像作者所說的，從顧客在網路上搜尋商品、到網路全球詢價、網路試用、顧客下單訂貨、供應商供貨和最後的客戶提貨，而最大的改變，就是交易的過程變短了，速度也加快了，廠商和消費者幾乎是直接交易，這將會對流通體系造成很大的衝擊。

7-11在數年前就導入了POS情報系統，就是爲了因應環境的變化，所做出的決定。雖然當時的成效不是很明顯，沒有得到大部分人的支持，但是從今天競爭者相繼導入的情形來看，當初我們的決定爲7-11帶來了和競爭者差異的優勢，我們可以瞭解消費者的消費習慣與需求，得以設計出更貼近消費者的作業模式，並提供消費者真正需要的商品和服務。不過POS情報系統只能算是社內的Intranet，要和更多的消費者結合，就必須運用網際網路Internet從事電子商務。以連鎖商店在地點上的便利性，我想我們能做的還有很多。比如說透過網路訂購、門市取貨的交易模式，就是值得連鎖商店去開發的機會。在這個模式下，連鎖商店的商品就不是局限在門市販賣的有形商品，而是所有你可以想到的在理論上都可以透過網路訂購。雖然目前在物流配送上需要整體的配套作業，但是相信這是一種趨勢，而會採取這種趨勢的業者和消費者也會越來越多，所以能最先掌握商機的，才能較競爭者突出。也許這種新的交易模式還不爲大部分的消費者所接受，但是在競爭日益激烈的情況下，我們必須因應時勢，創造新的需求，才能打破平衡，領先業界。

我想商務的未來是有無限的可能，其中亦隱藏著無限的機會等待我們去發掘。Amazon 網路書店的成功給了我們很大的啓示，只有不斷求新求變，充分利用科技帶來的便利，才能創造新的競爭優勢，持續保持領先的地位，相信本書可以帶給我們許多新的思考方向。

目次

前言

在一九七八年，也是離現在二十一年前，我們的世界出現了一個新的產品，叫做個人電腦。

個人電腦剛發明出來的時候，很多電腦界的專家都認爲，個人電腦只是個玩具，只是大家業餘休閒時用的電腦。

沒有想到，二十年來，個人電腦卻發展成全球最大的產業。

個人電腦產業的產值，在一九九八年已超過四千億美元，是世界上最大的單一產業。

在未來二十年內，有什麼產業，可能發展出像個人電腦這麼大，或者更大的規模呢？

一九九八年年底，微軟公司Microsoft發表了最新的個人電腦作業系統win98，但也同時宣布，win98是個人電腦最後的作業系統。因爲，微軟以後的發展重心是win NT ，而win NT正是企業電腦的作業系統。微軟的計畫是，把現在的NT，發展成windows 2000。

換句話說，從2000年開始，像Mmicrosoft這一類的電腦主要廠商，會把它們的重點，放在企業電腦上。所以，可以說個人電腦在win98出來時，已經達到發展頂點，再下去是企業電腦的世界。

企業電腦的企業系統爲什麼會是Microsoft 的下一個目標呢？

一九九七年開始，Microsoft的整個經營策略有極大的改變，Microsoft突然調整它的軟體開發方向，投資龐大人力在網際網路瀏覽器的開發上，並且免費提供給所有的使用者自由下載，到了一九九九年四月，微軟的網路瀏覽器在台灣已經擁有百分之七十五的市場佔有率，很多人都不了解，爲什麼微軟要花那麼多的錢去開發一個只送不賣的軟體。

原因其實很簡單，網際網路在兩三年內席捲全球，成爲世界上發展最快速的傳播媒體，在這樣的趨勢下，網際網路很快會成爲人類新的生活方式和內容之一，因此，如果我們要預測未來五年內，世界上可能出現的最大產業，那就是所謂的E-COMMERCE——也就是電子商務和電子金錢。

第一章

電子商務

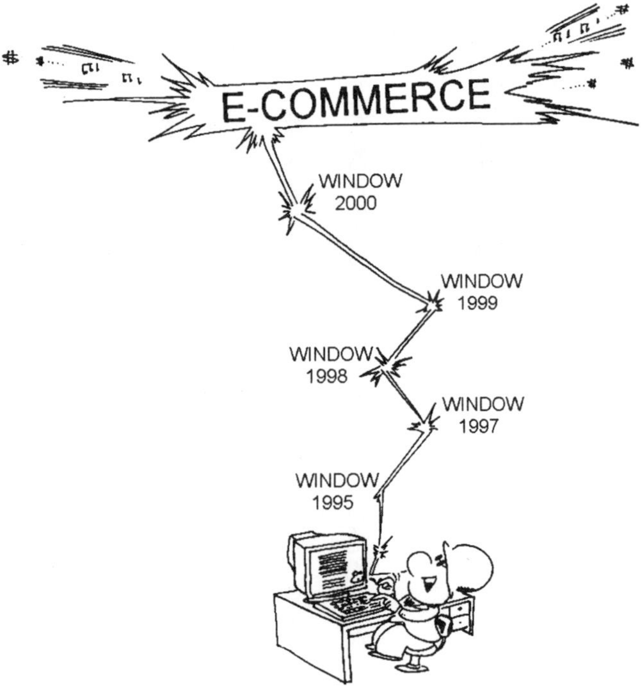
E-COMMERCE
WINDOW 2000
WINDOW 1999
WINDOW 1998
WINDOW 1997
WINDOW 1995

有大膽的分析家說，到二〇〇二年，企業電腦的營業額就會超過個人電腦的四兆美元的營業額規模。

電子商務和電子金錢，可能是人類未來最大的產業，不但這個產業本身很大，更重要的是，整個產業體系對人類的生活影響更大。

發展電子商務和電子金錢所需要的硬體和軟體設備，就可能使電子商務產業本身成爲地球單一最大產業，更重要的是，它所產生的影響——對其他行業的影響，對所有商務的影響，更可能是無可衡量的廣泛和深入。

電子商務不只是上網路買東西

許多人對電子商務的概念並不淸楚，可能以爲，電子商務就是上電腦

從前我們到商店是為了購買，
今天我們到商店可能為的只是
繳錢...

電子商務除了提供網路買東西
服務以外，也提供繳款機制。
你可以透過電子商務購物，
也可在這裡繳交通罰款、水電費、
電話費、停車費和繳交個人所得稅

網路，在電腦網路那裡面會有一大堆目錄，然後在目錄裡面挑一個產品，在網路下訂單，然後東西他會郵寄過來。

因此，現在有很多人在做所謂網路shopping mall（網路商店），也就是在網路上販賣物品，希望大家在網路上看到產品就來買。

這是目前開始流行的「網路購物」，但我們所指的電子商務不只如此。

網路購物這樣的模式，都沒有很成功，原因是，我們低估了人類採購的慣性，人類並不那麼容易改變採購的慣性，今天我們習慣去便利商店、超級市場、量販店、百貨公司等地方買東西，這一種習慣，並不是短期內就可以改變的。

電子商務最重要的觀念

因此，電子商務和電子金錢最重要的觀念，就是如何在不改變在傳統商店購買物品的習慣下，使傳統商店產生更大的效果。

所以，電子商務和電子金錢所要探討的，不是什麼未來的商店模式，而是使傳統商業模式，產生營業額倍增的方法。

因此，在探討電子商務以前，必須先從頭探討，什麼叫商務活動。

電子商務會不會使我們傳統商店大受衝擊做不了生意？
不會的…

透過電子商務系統對產銷與客戶之間的有效管理，將可降低成本並使傳統商店營業額倍增。

商務活動

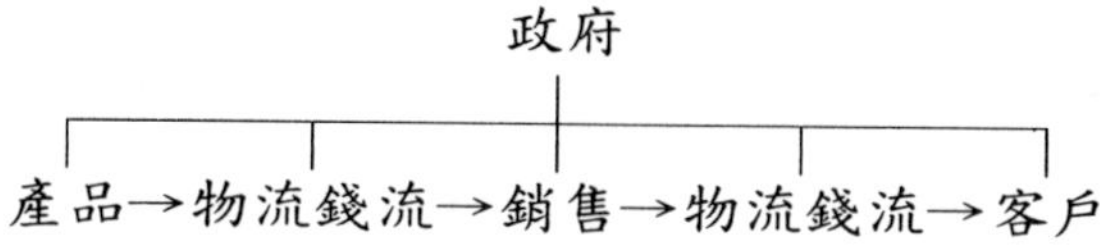

（圖表一）

把商務活動，剖解開來看，商務活動可以用圖表一來解釋。

參考這個產銷流程，我們很容易了解，產品經過銷售，到達客戶手上，而產生物品與金錢的流動，就是標準的商務活動。

買一碗麵的商務活動

就產、銷、客整個流程來說，產品在工廠生產時叫產品，流入銷售管道成商品；但事實上，產品和商品是

同樣一件東西，而無論是商品也好，產品也好，都是經物流流入銷售管道，再經由銷售管道流入客戶。

而客戶付錢給商店，商店把貨款付給批發，批發再付給工廠或企業，這就是錢流。

因此，商務活動，其實就是物流與錢流的互動交換，而在商務活動中，政府扮演的角色是用來監督商業行爲。

買一碗麵，這是物流，付錢是錢流，這是最真實的商務活動。

物流、錢流、資訊流

商務活動除了物流、錢流之外，還牽涉到資訊流。一個交易行爲的完成，就會產生資訊。任何商業活動，都會產生很多資訊，把這些資訊電子化，就會生產許多很有意義的資料。

在傳統商務中，各種產、銷、客的資訊收集和分析就已經是一件非常重要的事，這些資訊的是否妥善運用與處理，不但影響產品的製造與銷售，甚至會影響整個企業的發展，在電子商務的時代，資訊流的掌握與運用，更可能是一個企業能否獲利甚至能否生存的最重要的關鍵。

電腦與網路

電子商務，就是把產、銷、客的活動電子化，用電子科技來處理商務活動中的所有資訊。所謂的電子科技，基本上，就是電腦和網路。

電腦

早期的電腦，只是用來高速處理資料的計算機，後來功能不斷增強發展，個人電腦普及以後，更變成處理多媒體的處理

器。個人電腦發展出來以前，世界上只有極少數的專業者會使用電腦，早期電腦的研發目的是製造出廉價的個人電腦，而個人電腦卻發展成媒體的終端機。

電腦是最方便、數量最龐大的，可以儲存、處理、傳送聲音、圖像、文字、音樂、動畫、影像六種媒體的平台。

一九七八年，人類發明第一台個人電腦。個人電腦的功用不再只是個人計算或資料處理，同時它是媒體的容器，並且是表現媒體的終端機。

一九八八年，筆記型電腦發明，筆記型電腦可以跟隨使用者移動，只要有足夠的附件，就隨時隨地可接收、處理各種媒體和資訊。筆記型電腦越來越重要，電腦生產業者預計，未來五年內筆記型電腦的產量會超過桌上型電腦。

隨著電腦科技與使用介面的不斷研發，電腦功能的發展日新月異，電腦從原來只作爲簡單的資料處理功能，演變到現在的多媒體運用，同時，由於各種軟體的功能愈來愈強大，媒體內容的製作方法越來越簡單，成本也越來越低廉，估計在往後十年內，多媒體將成爲人類非常重要的表達與溝通工具。

一九九八年，可視爲多媒體個人電腦元年，因爲這一年多媒體電腦發展到相當規模，而所謂多媒體電腦，即是利用電腦與使用者的互動，將文字、聲音、圖像、音樂、動畫、影像六種媒體整合在一起，達到溝通目的的媒體系統。

從此個人電腦成爲多媒體的平台，透過數據機、電話線路與伺服器，我們可以讀取全球資訊網的各種資料，電腦成爲網路的智慧型終端機。

媒體是人與人溝通的工具，我們講話的時候，語言和聲音就是我們溝通的媒體，圖像、影像、動畫，也都是一種媒體，把這些媒體混合使用，就叫多媒體，而能和電腦螢幕互動的媒體，就叫互動多媒體。

今天的電腦不但可以處理資料，還可以處理文字、圖像和影像，在這樣的強大功能下，經由電腦，我們可以處理許許多多的資訊。

網路

網路科技本來是用在研究機構，過去三十年來一直成長，尤其最近五、六年突飛猛進，網際網路的發展，幾乎已經成爲電腦科技的新方向，所有的電腦，都可以接到網路上去。因此電腦不但是多媒體的處理器，同時也是網路終端機，每台電腦就像電話機一樣，經由電話線，就接到網路上去。

電腦和網路都是高科技的產品，或許因爲如此，所以很多人對電腦與網路難免抱有一種拒絕接受的態度。其實網路很簡單，用電話來比較，網路也不過就是一種多點連結的通訊而已。

一個人打電話給另一個人，這就叫做通訊。如果了解什麼是通訊，網路的運作就不難理解，網路事實上是通訊的基本架構，唯一的不同是，通訊是一個人對一個人的連絡，網路則是接在電話線的很多伺服器（server），可以讓幾百上千人同時使用。

伺服器是什麼呢？伺服器其實只是一種容量比較大、運算速度比較快的硬碟而已，這些硬碟裡面的資料，透過電話線的連結，可以把全世界的資料通通串起來，而成爲一個無限龐大的資料庫，這，就是網路。

網路屬於多人對多人（包括一人對一人、一人對多人）的傳播，目前許多人使用的網路是一般網際網路（Internet），寬頻網際網路、隨選視訊（VOD: video-on-demand）的技術正在飛快發展，這兩種技術的特色，是它的傳輸容量很大，可以瞬間傳送大量的資訊，而且沒有地域的限制。

網際網路（Internet）

網路的發展始於一九六〇年代，當時大多用於連接主機與終端機，本來只是爲了一些研究機構之間互換資料的方便使用而發展，但是隨著電腦及相關設備的功能不斷進步，在過去十幾年來，特別是一九九〇年以後，網路才逐漸興盛。

目前最爲重要與廣泛被使用的是網際網路（Internet），它所連結的是從最簡單的個人電腦到最複雜的超級電腦，也就是各種電腦網路互連結構。網際網路所提供的服務包括：電子郵件（E-mail）、新聞討論群組

（Netnews）、遠端主機遷入（Telnet）、檔案傳輸（FTP）及全球資訊網（WWW, World Wide Web）。其中又以電子郵件與全球資訊網的使用率最為頻繁。

對一般使用者而言，全球資訊網幾乎成為網際網路的代名詞，因為，在全球資訊網的架構下，使用者進入首頁（Home Page）之後，只要在網路連結的物件上按一下，立刻就會連結到此物件的內容。藉由這種連接方式，可以任意連接到網路空間的天涯海角。

網路使用者可以藉由首頁的建構在網路上成為傳播者，不只是被動的接受資訊，還可以發揮主動的傳播功能，尋找志同道合的網友，在全球資訊網中，就有很多歌迷、影迷自動成立的網站，互通偶像的最新消息以及交換收藏等。

瀏覽器與搜尋引擎發明後，可以查到網路中任何Web的檔案，它具備多媒體的超連結功能，並能迅速地、有系統地進行瀏覽，使用者可以在連結與連結之間跳來跳去，進行閱讀、收聽、列印等工作，就像進入一間圖書館，可以迅速的在大量的資料中找到所需的資訊，可以做到「隨選」（on-demand）工作，接受訊息的一方不再是一味接受它所給的東西，而是可依自己的需求來尋找、傳送相關資訊。

寬頻網際網路與隨選視訊（VOD: video-on-demand）

現階段的網際網路只能傳播五種媒體，因爲傳送影像需要更高的頻寬才能負荷，目前最熱門的技術，是寬頻網際網路，這是可以傳送六媒體的網路設備。

傳送影像訊號需要較大的頻寬，當網際網路的線纜頻寬足夠，就可以做到「視訊隨選」（video-on-demand）服務，簡稱VOD，一九九九年香港就要試辦video-on-demand，藉此我們可以自由選擇想看的節目。

電腦和網路容不容易

一個人打電話給另一個人，這就叫做通訊。你如果了解通訊，就了解什麼叫做網路，網路事實上是通訊的基本架構，唯一的不同是，通訊是一個人對一個人的連絡，網路則是接在電話線的很多伺服器（server），可以讓幾百上千人同時使用。

伺服器是什麼呢？伺服器其實只是一種容量比較大、運算速度比較快的硬碟而已，這些硬碟裡面的資料，透過電話線的連結，可以把全世界的資料通通串起來，而成爲一個無限龐大的資料庫，這就是網路。

那麼使用電腦和網路容不容易呢？

我曾經教過一位老先生學電腦，老先生今年已經八十四歲了，精神還很好，他有一次問我：「學電腦要學多久？」我說：「如果完全沒摸過，學會電腦要一個小時。」他說：「那不太難哪，可以試試。」然後他又問：「學網路要多久？」我說：「二十分鐘。」老先生說：「那我來學上網。」

結果，八十四歲的老先生只花了五分鐘，就會上網了。

事實上，會打電話，就會上電腦網路，千萬不要被電腦和網路這個名稱嚇到了。我相信，八十四歲的老先生花五分鐘就會上網，可以說不會有人無法上網。

根據IDC統計的資料，一九九五年，就是在三年多前，全世界連上網路的有一千四百萬人，到了一九九六年，就增加到四千一百萬人，一九九七年，有七千八百萬人上網，一九九八年，全球已經有一億二千萬人連上網路，一九九九年，上網路的人口最少會達到一億八千萬，按照這個成長比例推算，二〇〇〇年是二億五千萬，二〇〇一年是三億五千萬，預計到二〇〇五年，全球上網的人數會突破十億。十億，大概爲全球進入工業化國家的總人口。

上網人口統計預測
（百萬）

1995	14.2
1996	41.8
1997	78.1
1998	120.4
1999	（179.4）
2000	（249.8）
2001	（345.0）
2002	（515.1）

資料來源：IDC

更何況，使用網路的不只是先進國家，像印度，有些地方連電都沒有，但還是有人在上網。因爲有電話有發電機，就可以上網。

正因爲每人都可以用電腦連上網路，因而使得電子商務變成可能。

第二章

電子商務的過去與未來

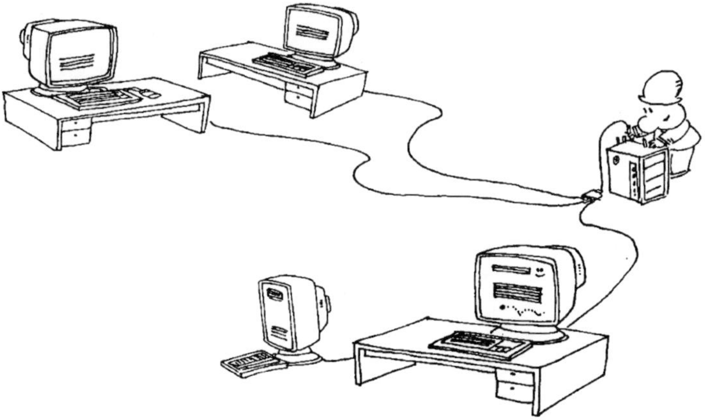

企業內的電腦化與網路化

電子商務並不是今天才有，事實上，任何公司從用第一台電腦開始，就已經局部進入電子商務，就已經把產、銷、客裡面某一部分的活動——資訊流，都電子化了。

早期企業內的電腦是IBM360型的大電腦，而更早的電腦，在一九六〇年代我讀書的時候，體積非常龐大，放電腦的房間終年都要開冷氣，在當時連電力供應都不是很充裕的年代，大電腦卻終年吹冷氣，可以想見，它是多麼的珍貴。

在大電腦時代，雖然電腦的運算速度已經非常快速，但由於技術的限制，一次還是只能處理一件工作。因此，所有的使用者資料都必須排隊處理，可能你要排上兩天，可是送進去給電腦處理的資料只要五分鐘就處理好了。

IBM360系統非常非常的貴，加上沒有辦法同時處理許多事情，而且當時要排上電腦也很辛苦。所以我們電腦又走到另外一個發展的方式，就是「On-line System」。

On-line System

「On-line System」是用很多終端機，把電腦和個別的使用者連起來，每個人從自己的終端機輸入資料，送到電腦處理，然後資料又回到個人使用的終端機上，這樣每個人都可以直接接觸電腦，就是像IBM AS400的一些中、大型電腦，這樣的系統，優點是可以直接輸入和處理，缺點是電腦一當機，整個公司的運作就停頓，而且因爲大家都要用它，所以它的功能就要愈來愈大，電腦因而就愈做愈大。大家都聽過超級電腦，爲什麼叫「超級」電腦？就是因爲它可以同時處理非常多的資料。

但是電腦愈做愈大，就愈來愈昂貴，維護費用也就愈來愈高，而且因爲整個企業的所有運算都需要同一台電腦處理，所以這個電腦又愈來愈不能當機，因此也增加了使用電腦的風險，所以，On-line System顯然也不是最好的方式。

集中處理資訊、大家都依靠同一部電腦的On-line System不是很理想，自然而然的，後來就發展了企業內現在比較常用的「Off-line System」。

Off-line System

Off-line System就是說，資料不用送到中央處理機處理，而用個人電腦。過去十年來，公司裡面只要設置一個網路，再加上一個Server，就可以處理所有的事。Server就是伺服器，伺服器就是中央管理器和儲存器，就是用來管理所有連網的電腦的管理器，同時儲存資料。

資料不送到中央處理，而在自己的電腦中處理，處理完以後只是和其他電腦交換，或是儲存到Server裡面去，這個就是所謂Off-line System，也是今天企業電腦化的主流。

但Off-line System這個系統還是有缺點，缺點在哪裏？

缺點就是要學很多的軟體。還有，每一個公司處理的事情不一樣，整個公司還必須設置一個電腦中心來管理，每個部門又需要不同的資料、不同的程式，到最後，當公司內用電腦的人愈來愈多的時侯，這個電腦中心在管理整個網路跟Server的困難就愈來愈高，所以也不方便。

ERP——企業流程資訊資源處理

因此，最近這幾年流行的企業電腦化的方式，叫做ERP（Enterprise Resource Planning）——「企業流程資訊資源處理」，就是把企業的流程先設計好，再按照流程的需要設計程式。這樣大家只要輸進去資料，電腦就可以按照原先設定好的程式自動計算，大家也就可以快速學會使用電腦，卻不必去學各種程式了。

比如說，我的工作流程是送貨、收款，其中牽涉到的各種貨款的計算，不同商店不同數量等等折扣和計算問題，都已經事先設計好了，我只要把資料輸進去，電腦就能夠自動計算我送出去多少貨，必須向哪些廠商收取多少錢等等。電腦甚至能夠自動幫我管理其中的各種流程，包括什麼時候送貨、什麼時候收款等等，並在適當的時間提醒我。

因此，現在的做法是，把整個企業流程的細部通通設計好，然後再去買電腦，再把PC（Personal Computer，個人電腦）和WS（Work Station，工作站）配上來，整個公司的運作就很流暢了。

個人電腦和工作站事實上是同一個東西，只是工作站比較精密，速度也比較快，可以儲存較大量的資料和處理圖形，事實上，WS就是一種比較高級的電腦。

用個人電腦搭配工作站，並以事先設計好的作業流程設計程式，這就是企業電腦目前最新的概念。

以企業的ERP爲主導的電腦系統，就是電子商務的核心。

供應鏈的電腦化與網路化

電子商務的另一個重要關鍵，就是供應鏈的電腦化跟網路化。企業內的電腦化，是工廠的電腦化，或者銷售的電腦化，基本上，都還是獨立作業的電腦化系統。

而供應鏈的電腦化跟網路化則是企業間的連網，企業間連網的目的，除了快速掌握資訊、交換資料，最主要的目的，是達到用資訊代替庫存。

資訊代替庫存

過去日本豐田公司講零庫存，並且以這個觀念的實現，創造出了品質優良且價格低廉的汽車，使日本汽車產業能夠占領世界的重要市場。

影響所及，台灣的廠商也通通追求實現零庫存，然而，造成的結果是，庫存通通轉移到供應商那邊去。這種情形，有點像是我們家裡沒有庫存，但是別人都在我們家附近堆滿庫存，這顯然沒有達到真正的零庫存，而只是那些廠商在適當時候，把成本轉嫁回來而已。

真正的零庫存

那要怎麼樣做，才可能達到真正的零庫存呢？很簡單，就是用資訊代替庫存。

從產品到銷售，都要用資訊代替庫存，我這裡賣出了幾個貨，我就通知你做多少貨。日本有一家香菸公司，把它在日本各地六百萬個賣香菸的終端機全部連接起來，做到了只要有人在任何一個地方投幣，哪個牌子的香菸掉下去，生產香菸的工廠馬上知道。因爲全部連線的結果，幾點幾分，在什麼地方，賣了哪一種牌子的香菸、賣了多少包，最近哪一種牌子的香菸在什麼地方賣得很好等等，都可以產生很準確而立即的資料，廠商根據這些資料，就可以很準確的控制生產的時間和數量，甚至運送的時間，多少時間可以運到等等，都算進去，這樣，就可以做到沒有庫存。

這就是用資訊代替庫存的威力。

過去，我們很容易先做了一大堆貨，生

零庫存時代

由於電腦科技的高速進展，每年有數十種新型電腦產品問世，而造成產品售價週期短、價格下跌快速。

電子商務整合了流產銷的機制，客戶、供應商和商之間的互動連起來，可減低成使積囤貨品減至少的狀況。

意好的時候運到市場上等待銷售，生意壞的時候就大減價，那是因爲沒有用資訊代替庫存，以前那種狀況，即使生意很好，也有庫存的壓力，而生意不好的時候，更容易發生供過於求的狀況，使庫存的壓力更大。庫存是企業經營很大的陷阱和負擔，而電腦化的資訊流可以幫助我們避免盲目的生產和投資。

零交期

在資訊時代，做到零庫存還不夠，企業經營的最高目標，是零交期。零交期的最簡單的比喻，是像自來水一樣，有客戶來買，他用了一點水，生產的廠商馬上投進去再生產一些水。整個水管都充滿了水，我們一開水，自來水塔就開始送進一點點，剛好可以滿足我們的客戶。

這樣就叫做零交期，因爲整個產銷系統裏面沒有庫存，但同時又有充足的流動庫存，一開水，水出去後面就遞補了。這是我們做電子商務中，最重要的概念——要達到零交期的目的。

關於零交期，我在《二〇〇一年第二次奇蹟》那本書中，有一篇完整的附錄探討這個題目，有興趣的讀者可以參考。

產、銷、客全流程電腦化

供應鏈電腦化之後，就會發生一件大事：電子商務成爲全球最大的產業活動。

產、銷、客全流程的電腦以及網路化，使得產品的生產、銷售等，都經過企業間網路連接起來，連客戶也都連起來。

公司內部的電腦化大家都可以了解，企業間的電腦化，現在也應該可以了解了，但是我們不能了解的是如何和客戶連結起來呢？

把所有的供應商和工廠或企業連起來，那我們就可以知道供應商已經做了多少產品、銷售商已經賣了多少產品。就像我們今天把物流中心和便利連鎖商店（如7-11）連起來一樣，任何一家便利商店的銷售情形，每一種產品的銷售時間和銷售量，經過網路的串連，物流中心都可以確定掌握。這種情形，和企業間的網路連接是一樣的道理。

但是我們沒有辦法想像，我們的顧客竟然也可以跟我們連起來，那些來跟我們買東西的人也可以連起來。這種情形，以前是不可能的，但是現在不但有可能，而且很容易，因爲有網際網路。

現在上網的人數每年都在增加，預計在未來的五至十年，大概地球上可以上網的人都會上網，到時，就某種意義來說，大家就都連在一起了。

經過網際網路，客戶可以直接和銷售商、產品供應商連絡，我要什麼產品，一對一的直接下訂單。正因爲個人電腦、網際網路的發明，使得客戶可以直接找上廠商。

客戶找上廠商以後，感覺上，似乎是有可能成爲廠商的麻煩，因爲單一的

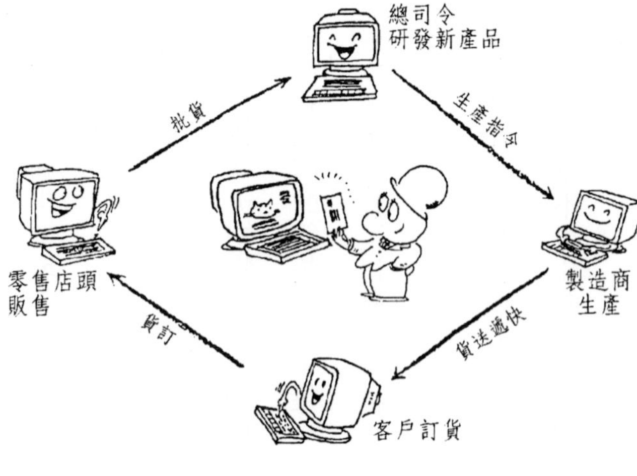

客戶只是一個人而已嘛，而如果每個人有各種不同的要求，廠商如何可能應付得了？客戶直接找廠商，不是會造成廠商的麻煩嗎？像7-11便利商店這樣的廠商，幾乎台灣所有的人口都是它的客戶，如果大家都直接找上7-11，要求這個要求要求那個，那廠商應該如何處理？

用傳統的作業方式，不可能有辦法處理。爲了解決這個問題，所以企業電腦化是不可避免的。而光是企業電腦化的這個部分，就可以變成地球上最大的產業。因爲要做到產、銷、客全流程的電腦化及網路化，那是非常龐大的投資，光是投資設備的金額，就可以成爲下一波地球上最大的產業，當然，更重要的，是它所造成的商業上的影響，更是無可限量。

三種網路：Intranet、Internet、Extranet

企業內部、企業之間以及企業和個人間的網路連結方式，由於需求的不同，我們可以把網路分成三種模式：Intranet、Internet、Extranet。

Intranet——企業內部網路

在企業裡面的網路，就叫Intranet，Intranet的特色，是只有企業的內部人員才可以使用，其資料與資訊的流通，也只限於企業內部。

Extranet——企業間網路

兩個企業之間的網路叫Extranet，企業與企業之間，由於業務來往的需要，可能需要大量資料與資訊的交換與共享，因此需要建立用專線連通的網路，這個網路可以部分開放給特定的人員使用，也可以完全開放給兩個企業體的員工使用。

Internet——網際網路

網際網路是在電腦與電腦、系統與系統、伺服器與伺服器之間，透過相同的「通訊協定」，達到傳輸資料的目的，由於網際網路可以連接所有不同系統的網路，因此形成無遠弗屆、威力強大的網路版圖，因此在最近三年內呈現爆發性成長，其影響的程度，完全不可估量和限制。

上述三種網路構成了整個企業內部、企業體之間和各種網路之間的連結，而Internet就是網際中間的大網路。所以，就功用和使用範圍來說，網際網路的涵蓋層面最廣泛。

但是這三種網路各有其特性和功用，所以並不是大家通通用Internet就可以了，而不必用到Intranet、Extranet。因爲這牽涉到企業的機密、處理的速度等等許許多多的技術問題，加上企業內部各種資料的傳送和處理都要高速處理，所以企業內部和企業間的網路經常需要比較高的技術和設備等級。而消費者比較不需要這樣的高速運算，所以可以利用一般的電話線撥接到網路服務公司的電腦伺服器，然後再由此連到其他的網路。消費者使用網路的目的常常像逛街一樣，到處看看有什麼神奇好玩的東西，所以他可以用幾分鐘的時間去下載一張圖片，或等待一個網路首頁的出現。

由於使用網際網路的設備，除了個人電腦以外，只需要再增加一個台幣一千元左右的數據機（現在已經是所有電腦的標準配備了）和普通的電話線路而已，所以很適合個人使用。

我們可以輕易想見，經過Intranet、Internet、Extranet三種網路的連接，個人與企業之間是已經可以直接連繫的了，客戶對產品有任何疑問、不滿、反應和建議，以前大概只有透過郵件的方式傳達，不但曠日廢時，而且可能得不到廠商或企業的任何回應；反過來說，除非透過大規模的問卷調查，否則廠商也沒有機會了解消費者對他們的產品究竟爲什麼喜歡或不喜歡，產品的製造者與商品的消費者之間，永遠沒有溝通的可能。

然而，經過產、銷、客的電腦化與網路化，所有以前無法掌握的資訊與狀況都可以有解決的管道與可能。

因此，我們必須事先設想和規畫，未來的商務活動，會以什麼樣的面貌和方式呈現。

電子商務包含兩個層次：

1. 企業和企業之間
2. 企業和個人

利用電腦網路的即時
回復系統、電子表單
來完成資料庫查詢的
電子購物、轉帳等
商業活動。

第三章

未來的電子商務活動

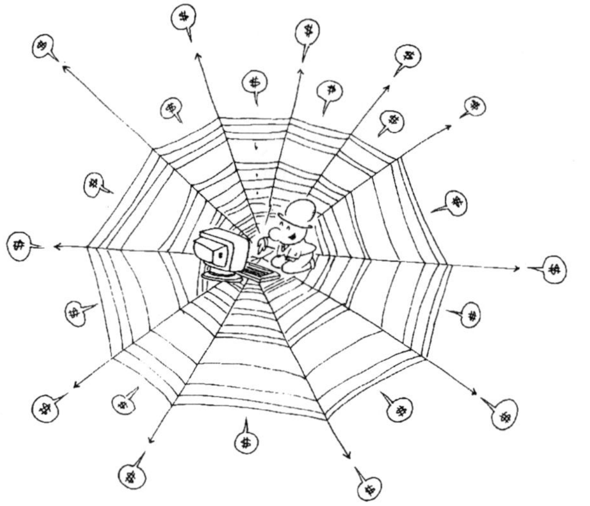

未來與傳統的商務

在未來的世界裡，商務是怎麼運作的？和現在的傳統商務有什麼相同或不同的地方呢？

一、網路商品搜尋（廣告的替代品，代購商的出現）

未來的人若要採購東西，他可能會先上網路去進行網路商品搜尋。

今天的消費者要買東西，他可能要看報紙、雜誌、電視等等媒體，看看有沒有廣告，有什麼新東西上市，或是到四種零售商：便利商店（Convenient Store）、超級市場（Super Market）、連鎖商店（Chain Stores）、百貨公司（Department Store）那邊去逛，看有什麼東西，有沒有貼海報出來、有沒作廣告等等，這樣我們才知道有什麼商品。

就好像以前我們要買一本書，最常見的方法，是到書店去找，找的方法有很多訣竅，如果是新書，那麼也許你很快就可以在書店入口最醒目的地方找到，但如果是舊書，那麼你可能必須先問店員，有沒有那一本書，或是你要知道書的出版社，然後去那些出版社的專櫃尋找。萬一是已經出版很久，或是比較冷門的出版社，那你要買到一本書的機會就很小了。

也許有人會說，書買不到，圖書館總有吧，但相信很多人也都有到圖書館找不到書的痛苦經驗，因爲，第一，你不知道哪一個圖書館有你要的書，第二，即使知道這個圖書館有你要的書，你也沒有辦法知道這本書是不是被人借走了，因此，在五到十年之前，買一本書或找一本書都不是很容易的事，因爲需要花許多的精神和時間。

這是現在我們一般人買東西最常用的方法，但這也是一個比較沒有什麼效率的方法，可是有了網路以後，情形就會改觀了。

像7-11，每個店假設有三千個項目，雖然7-11的設計已經很清楚明朗，但我們還是很容易發生找不到要買的東西在哪裡的時候，找不到要買的東西，他可能不好意思問就出去了，這樣，無形中就損失了一筆生意。

但如果零售店，把它的商品項目都放到網路上面，顧客就能夠先進入你的網路，並能很清楚的找到他要買的那種很扁的牙刷、一支多少錢等等，他就可以馬上去買，也不必擔心買不到了。這就是所謂的網路商品搜尋。

這種網路搜尋，我相信現在台灣一般的大專學生都已經用得非常熟練了，尤其是在查詢資料和到圖書館找書這些事情上，最可以看出網路的便利與方便。

以找一本書爲例，我們可以先找到一家規模比較大，或者離家裡比較近的圖書館的網址，然後在網頁的搜尋引擎上，打入你要找的書名，大約只要兩秒不到的時間，網路就會回答你有沒有這本書，有沒有人把書借走了等，如果這一家圖書館沒有你要的書，你還可以直接連上其他圖書館，用同樣的方法尋找，目前，比較先進的國家，已經做到圖書館的館際連線了，也就是說，你只要在任何一個圖書館的首頁上，都可以向其他圖書館查詢你要的書或資料。

目前各種網路搜尋引擎的技術越來越發達，像Yahoo（雅虎）、kimo（奇摩）、yam（蕃薯藤）等等，都提供了相當豐富的搜尋功能，這樣的搜尋功能應用在電子商務之間完全是很簡單的事。

網路代購商務

在這種情形下，我們可以很輕易的預測到，很快就會有「網路代購商務」出現。

比如說，你要買照相機，但是你根本不曉得有多少種照相機，什麼樣的相機有你需要的功能，或是什麼樣的相機可以滿足你的價錢需求等等。在以前，你可能需要花許多時間去蒐集資料、閱讀資訊，然後不斷的比價、往返各商店尋找中意的商品，整個過程，可以說是非常的耗費時日。

有了網路之後，網路上就會出現一些專家，專門研究怎麼樣幫人尋找以及採購他所

效率重於一切

依網路業者所做的市場調查，發現消費者只要在90秒內無法順利完成交易，便不會再上門。因此，電子商務必須要快、狠、準，才能使消費者保持高度的興趣。

需要的資料或商品，這就是所謂網路的代購商務。你付我一點點代價，我就幫你去找，找到最好的之後再推薦給你。這種網路商品搜尋的商業活動，其實今天就可以做到了。

事實上，現在網路上已經有許多專業的網站，提供各種專業領域的資訊和知識，有共同喜好和專長的人會在這些網站上「虛擬聚會」，交換各種心得，並解答許多人在網路上留下的問題。這就已經具備網路商品搜尋的雛形了。

我有一位朋友，他很喜歡美國派拉蒙電影公司的一部電視影集Star Trek，台灣翻譯爲「銀河飛龍」，這部影集已經有二、三十年的歷史，拍了許多部故事非常精采的科幻片子，後來，不知道爲什麼，Star Trek突然停播了，打電話去電視台問，也都得不到滿意的答覆。

這兩年網路普遍之後，我的這位朋友有一天突然想到，也許可以在網路上找到一些Star Trek的資料，所以他就上網，到Yahoo去輸入Star Trek這樣的字眼，結果，不到三秒鐘的時間，網路回答他，在全世界，和Star Trek有關的網站竟然多達一千多個，這位朋友於是花了一些時間上網，不到幾天的時間，他就已經搜集到極爲豐富的Star Trek的資料，除了文字、圖片，還有可以在網路上播放的影片，以及他向來沒有想到過的Star trek的史詩般的歷史結構、演員詳細介紹、相關的各種太空船、武器的原始構想，以及Star Trek最新的影片拍攝情形等等。

除此之外，他還在網路上認識了許許多多像他一樣的Star Trek迷，這些Star Trek迷有的神通廣大到了令人大開眼界的地步，凡是和Star Trek有關的任何人、事、物，都瞭若指掌，這樣的人，就是網路搜尋和網路代購的最佳人選，這樣的技術和人才，在電子商務更具規模的時候，必定能夠創造一種全新的服務形態。

二、網路全球詢價（走向一物一價＋服務費）

找到你想要的東西後，接下去就是要問價格。

過去，價格是由零售商自己訂的，一件產品，即使在同一個城市，由於零售商不同，售價可能就會有相當的差距。但網路是全球溝通的，Internet可以讓我們在瞬間就跑到美國、歐州去，我們可以輕易的知道這個東西在

從前買東西要貨比三家
才能買到最好的貨
價格又最便宜。

1

現在透過電子商務
購物，全球的貨品
價格全部自動上門
來，貨比百
萬家，才
夠厲害。

2

美國或歐洲賣什麼價錢。所以網路溝通以後，每一個人都會知道他可以向全球詢價。

比如，在台灣的便利商店，像7-11，可口可樂是十八元一瓶，但是在我住的馬來西西亞檳城，同樣是7-11，可口可樂卻只賣九元。

這當然不是說台灣的便利商店多賺一倍的錢，因爲銷售量、員工的薪資、店面的租金、庫存的成本、運輸的成本等等都不一樣，所以台灣的可樂和馬來西亞的價錢不一樣。可樂的價錢不同可能沒有人會計較，但是如果你今天要買的東西價錢很高，那麼你也許就會計較了。

在日本，曾經發生過這一個實例，SONY出了一個很小很小的Walkman，在日本賣兩百美元，在美國卻只賣一百美元，同樣一個型號，換句話說，完全相同的一個東西，但是價錢就是差了一倍。由於價錢實在相差太多了，就有人透過網路向美國的零售商購買，因爲即使再加上郵費，都比在日本買還划得來。

因爲有這樣的事情發生，造成SONY公司本身經營的困擾，因此，如果大家曾經特別注意，就會發現後來日本出產的電器外銷到美國時，都改了型號，雖然它們其實仍然是同樣的東西。

沒有辦法，因爲大家已經可以在網路上全球詢價，全球詢價以後他願意付的錢是一物一價，再加上服務費。

業者當然可以說，日本的房租比較貴，所以必須多付百分之三十的服務費，而不是要你多付一倍的價錢。這個理由，以後恐怕不會有人願意接受了，明明可以用比較便宜的價錢買東西，消費者怎麼可能願意多付錢呢？

網路全球詢價是今天就可以做到的事，因此，廠商必須留意全球詢價之後帶來的影響，因爲在大家都上網之後，全球詢價是必然會發生的。

三、網路試用

以前，我們可能經常發生這樣的狀況——找到你要的商品，價錢談好，東西買回來之後，卻發現有一個狀況可能會發生——不會用，怎麼辨。退貨嗎？很難，買回來不會用的東西固然是消費者的損失，而花太多時間去解決消費者不會使用的問題，也未嘗不是廠商的負擔。

這個問題，同樣的，在網路發達之後，就可以解決了。

在網路上，我們就可以先試用冷氣機、錄影機怎麼操作。

如何在網路上學習操作一台冷氣、錄影機？

由於網路可以傳輸很完整的互動檔案，因此，工程人員可以模擬一台冷氣或錄影機的外型與功能，用程式寫成虛擬的機器，其功能可以做到和真實的產品一樣，當然，除了你沒有辦法在網路上感受到冷氣之外，其餘像功能面板的樣子、按鍵，甚至錄影機正常、快慢速播放等等，所有的功能和動作，都可以用程式模擬出來，並且，因爲事先寫好，所以可以有很詳細的使用說明。決定購買之前，讓有興趣購買的顧客先在網路上試用，各種功能和操作都滿意了，才下訂單購買，買回來以後若不會使用，也可以在網路上獲得滿意的解答。這樣，就不會發生錄影機買回來了，全家卻只有兒子會操作，其他人都不會操作的情形。

現在網路的速度可以傳輸多媒體的檔案，做到像以上所形容的功能，並不是太困難的事。我們可以用電腦辭典做個示範。

一般我們去買電腦辭典，由於價錢的關係，都會比較慎重，希望有時間可以試用，或者多了解它的功能。

通常你會碰到的情形是，店員一問你要買什麼，東西拿給你之後，沒多久就開始催促你趕快買，那種壓力是很大的。而且，在這些商場中，展示的電腦辭典通常都是一個品牌一台機器而已，如果同時有兩三個客戶要買，就必須排隊等候，你就更沒有心情去慢慢試用，更甭說要比較兩種牌子的產品之間究竟各有什麼優缺點了！

網路上展售的電腦辭典和真實的電腦辭典可以說是完全一樣的，不同的只是它是可以在網路上傳輸檔案。因此，在網路上試用就完全沒有前面所形容的困擾。每個功能你都試用過了，對這個產品的特色都滿意了，然後才購買。這樣，可以節省許多時間，並創造許多商機。

整部電腦辭典可以在網路上隨便試用，這是今天的科技就可以做得到的事，懂得使用這個技術的人，當然比不會使用這種技術的占優勢。試用產品，尤其是比較複雜的產品，通常在店裡沒辦法試用完全，有些人甚至買回家一兩年了，還是不太會使用，功能還不是完全用得到。這些，都可能使企業流失客戶，發展了功能很強的產品，然而顧客不會使用，這種損失是難以形容的。

在網路上，我們甚至可以再進一步發展「線上指導老師」。你不會還可以問他，問到你高興爲止，再下單。

四、客戶訂貨（以電子現金支付訂金）

利用網路搜尋、網路詢價、在網路上試用之後，我們就可以在網路上直接下單。而付款的方式，就是電子現金。

在電子商務中，如何付錢和收錢是很重要的一件事，因爲在整個交易的過程中，買賣雙方都不會碰面，因此，一定要有一套大家都可以相互信任的辦法。

如果只是訂閱一本書，那情況還比較單純，因爲單價不是很高，即使有糾紛，像訂了以後突然不買，或者買了以後不滿意要求退貨等等，雙方的損失都不會太大。但如果你訂的是價值好幾萬元的電腦、冷氣之類的東西，廠商接到訂單以後到底做不做，客戶和廠商之間互相要有什麼承諾或憑證，都很重要。像我們以前買東西要付訂金一樣，網路上購物同樣有這些問題會發生，但因爲大家都不會見面，所以要有「更安全」，彼此都可以信任的做法。

假設訂的東西是四萬元，必須付一萬元訂金。那訂金怎麼付？是你派小弟來拿，還是對方拿去給你？如果還要透過人與人的直接接觸才可以完成交易，那電子商務的功能當然要大打折扣了。

因此，電子商務的基礎必須建立在電子金錢之上。

在電子金錢的時代，塑膠貨幣（如現在的信用卡）會更重要，而且會有其他相關的硬體設備發展出來，其中最重要的，可能是在家裡就可以使用的電子金錢交換機——現在已經發明出來了，在香港和英國已經開始上市。這種電子金錢處理機，其實就是一部可以連通網路的電話機和電子金錢辨識機，我們只要用儲存了電子現金的卡片，在家裡的電話機刷一下，就可以完成金錢的傳輸，錢就付過去了。

五、供應鏈供貨

收取訂金以後，廠商就開始製造、供貨，最後就是客戶提貨或送貨到客戶手上，同時收取剩餘的款項。

從商品搜尋、網路全球詢價、網路試用、客戶訂貨、供應商供貨、客戶提貨的過程，給我們一個很大的啓

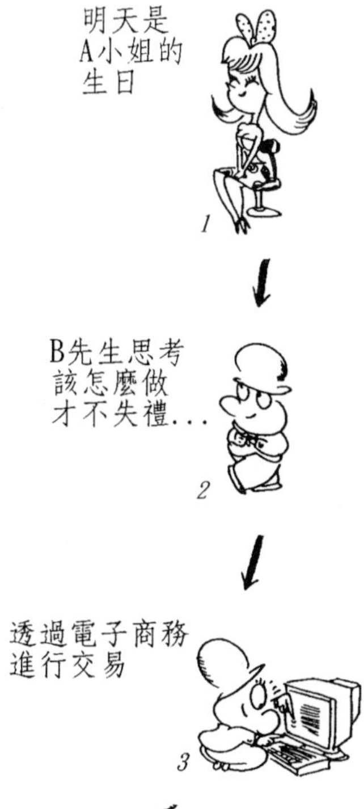

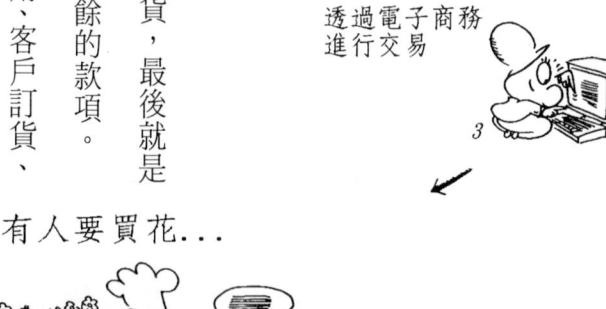

明天是
A小姐的
生日
1
B先生思考
該怎麼做
才不失禮...
2
透過電子商務
進行交易
3

有人要買花...
C花店
4

示：整個交易的流程變短了，許多傳統商務不可或缺的步驟都消失了，客戶和廠商幾乎等於直接交易；供應鏈的工作也減少許多。這種情形不但節省買賣雙方的許多時間和成本，最重要的，是加速交易的速度。對買賣雙方而言，好處和便利性是顯而易見的。

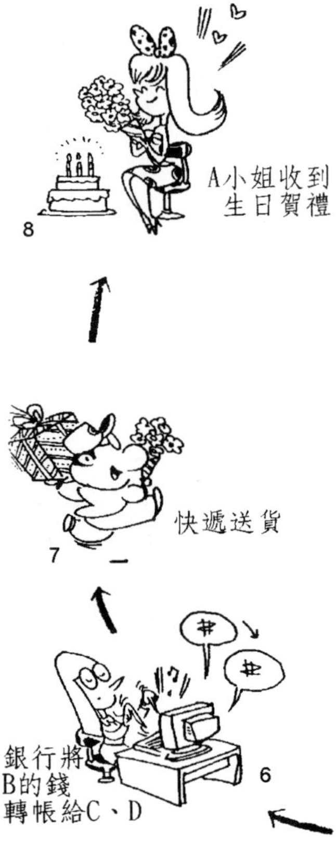

六、客戶提貨或送貨至客戶，客戶付款

在傳統商務中的零售店主要有四種，從零售商店、連鎖店、超級市場，一直到百貨公司，有一個特性可能是大家比較容易忽略的，那就是愈大的STORE分布的點愈少，而愈小的STORE賣的項目愈少。

大的店，因爲要存放展示的貨品種類繁多，因此店面的體積不可避免的增加，所以，大的商店如百貨公司，無法在數量上增加，反過來說，便利商店固然面積小成本低，但也有賣的東西有限的限制。

在電子商務技術的幫助之下，以後就沒有這種限制了。7-11、全家福、OK等便利商店，可以賣目前展示容量的三千種商品，也可以賣一萬、五萬個項目。

一般大眾最常買的就擺在店裡面，比較少買的，像電腦、冷氣、錄影機或是比較貴的東西，可以不必擺在店裡，只要在網路上提供產品、型號、價錢，以及可以試用的程式，那麼顧客就可以在網路試用和下訂單，並約好時間提貨。在電子金錢處理機尚未普及到每一個家庭之前，在網路上試用後，便利商店是很好的訂貨、取貨和訂價、繳錢的地點，尤其是對那些偏遠地區、或是白天必須上班，無法配合送貨公司的人來說，便利商店的網路服務，可以說是顧客的一大福利，也是便利商店可以擴展的商機。

如果已經刷卡訂貨了、也付了訂金，便利商店可以作爲非常便利的提貨點。這樣，便利商店就不只是賣小商品的雜貨店，以後可能連像筆記本型電腦的高價位商品都可以賣，這就把便利商店傳統銷售的瓶頸突破了。

一般來說，大部分的人都願意到便利商店買東西。以我自己爲例，我就比較不喜歡到百貨公司，因爲那裡東西太多了，反而買不到；便利商店之所以吸引人的地方，是它賣的東西種類雖然比較少，卻可以滿足我們日常生活的需要。所以一般人不會到百貨公司買原子筆或麵包、雞蛋之類的東西，因爲百貨公司通常比較遠，有交通的問題，規模又太大，各類商品放在大樓之中，反而不容易買到日常所需的東西。

有了網路以後，便利商店可以由於這項科技的普及應用，而兼具百貨公司

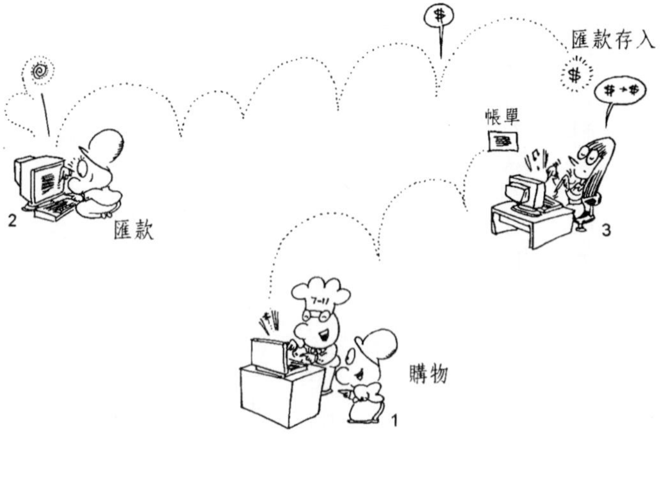

的好處。我們以書店爲例。目前，台灣每一家金石堂書店大約可以放十萬本書左右，如果要放二十萬本書，也許還勉強可以，但如果要放一百萬本，那就一定放不下了。而世界最大的網路書店亞馬遜書店，卻可以「擺設」兩百多萬本書。

兩百多萬本書！大家想想看，如果你到一家擁有兩百多萬本書的書店，不要說買了，很可能連找都找不到。但是在電腦網路搜尋之下，亞馬遜書店中的任何一本書都可以找到，這在以前，也是完全無法想像的。

因此，在網路的幫助下，客戶的訂貨、取貨、收錢等等流程，都會有很大的改進和變化。

七、客戶資料分析→商品開發→新產品上網

使用網路的電子商務不是取代傳統商務，而是使傳統商務這隻老虎加上翅膀，這才是我們要探討的電子商務的重點。

電子商務中最重要的，就是能夠幫助企業分析客戶資料、促進商品開發。分析客戶資料、促進商品開發是每一個企業都很重視的事，以往爲了達到分析客戶資料、促進商品開發，企業往往要編列很高的預算和人力從事這方面的工作。

在傳統的商務活動中，不管你一天的營業額多少，隔天早上起來，你的營業額又歸零，又要重新開始，這是所有做生意最痛苦的事情。所有的Salesperson（營業員）早上起床的第一件事，常常就是想到今天的業績是零，也不知道今天的業績在哪裡，不知道如何去必須努力達成目標。

造成這個情況的主要原因，是在一定的期間內，客戶很少有重複購買的行爲，換句話說，你根本不曉得今天踏進你店裡的客戶是誰，他們要買什麼東西。

但是，其實客戶要什麼東西，他已經告訴我們了，只是我們沒有去統計、分析而已。

透過電腦和網路的功能，我們可以把客戶的資料收集起來，然後利用程式去分析、運算，只要按一個鍵，就可以分析出客戶的年齡層、男女性別、興趣、購買能力和主要的消費範圍等等這些基本資料。

如果有更精密的資料，比如，當客戶透過網路來下訂單或查詢，可以請他們花很少的時間塡寫資料，有了這些資料以後，再配合其他小小的動作，我們就很容易就知道是什麼人在什麼時候來買什麼東西。

有這些資料之後，我們就可以不用擔心客戶在哪裡，以及他們究竟要買什麼東西之類的問題了。因爲我們已經掌握了他們的消費習性、知道他們的需要，我們就可以針對那些客戶，開發他們想要的商品跟服務，然後把這些商品和服務上網，而根本不用把一大堆商品放在倉庫，或者擺在店裡等待顧客上門來選購。

從蒐集顧客方的消費習慣、開發他們的消費產品，然後再經由這些顧客的購買，我們可以再次得到更多的資料，可以再作爲下一個產品的參考指標。這樣子的循環，不斷的生發新的商機這就是未來的電子商務活動。

電子商務的優點

我們可以深入探討的，是電子商務這樣子做有什麼好處、有什麼優點？

一、資訊代替庫存——節省資源、降低成本

電子商務的優點，大家已經可以了解當然就是用資訊代替庫存、可以節省資源、降低成本。除此之外，電子商務還有什麼優點？

我在《企業加速》這本書中，曾經提到企業經營最重要的一個環節，就是要賺取現金。

百貨公司、零售店比別的行業擁有的更大優勢，就是因爲每一筆生意都是收入現金。這個優勢，一般人大概很少想到，而且沒有意識

到收入現金的重要性。

真正成功的企業，一定是賺取現金。因爲企業投入的是現金，最後產出的，也必須是現金，而不是產出一大堆債務、債權。

企業必須就是一個賺錢的機器，你這裡投入一億，那邊產生一億五千萬的現金，這樣才是賺錢的企業。然而，我們看到許多企業，財務報表看起來都有盈餘，但是卻沒有現金收入。最常見的情形是產品變成庫存，然後把庫存勉強算是資產。這是很不正確的，庫存不是資產，而且庫存有時候比沒有還嚴重，因爲庫存會扭曲經營策略，造成錯誤的判斷。

在這裡，我們可以更清楚了解，用資訊代替庫存的重要性，庫存不但是資金的變相積壓，形成企業的財務壓力，更重要的，是一般人在碰到東西賣不出去的時候，總是會想各種辦法要賣不出去的東西賣出去，結果，可能再次造成另一次的財務壓力，甚至扭曲原本正確的經營策略，而使企業受到更大的損失。

二、縮短交易時間——加速資本循環

電子商務的第二個優點，是縮短交易時間。

我們常常說，我們的時代是一個快速運轉時代，是一個資訊時代，最近有一本書叫做《十倍速時代》，作者極力說明我們身處的世界，是以一個非常快的速度在運作，可是，即使有這麼多的專家學者大聲疾呼，我想可能還是有很多人不了解速度對一個企業的影響是多麼的大。

以前，我們做一部筆記型電腦的時間，大概是四十五天，電腦生產出來以後，經過包裝，運到美國電腦公司，整個過程大概需要半個月、一個月，然後電腦公司再給批發商賣到店裡面，店裡再看個別的情況賣出去。這樣一個循環下來，一部電腦做出來以後，到消費者手上，大概要五、六個月。

雖然我們在電腦市場一直很順利，但是，這樣的產銷速度在那個時候，實在是令人非常難過的。因爲，我們看到消費者在街上買到的，都是我們舊的、過時的產品。在電腦這個產業裡，三個月就是一個產品的週期，一個產品出廠之後三個月，就有另一代更新的產品出來，而那時的消費者，卻要六個月才拿到電腦。

所以，爲了解決這個問題，我們就加快產銷的速度。最近康柏跟英業達合作一個稱爲「九五五」的計劃，這個計劃的目標，就是地球上百分之九十五的客戶，不管他在哪裡，在非洲、在南美洲，或是什麼偏僻的海島，只要他下了訂單，五天內就要讓客戶拿到他的電腦。五天，不是指工廠製造的時間，而是從顧客下訂單開始，到他拿到電腦的這整個流程。

這樣推論回來，可以說我們幾乎沒有生產的時間。後來，解決的方法是，我們的電腦只能出給DHL這個快遞公司。按照快遞公司的速度，他運送的時間，依地點的遠近，大概要三到四天的時間，最後推算回來，我們英業達生產的時間只有一天——二十四小時。二十四小時生產一部筆記型電腦，這簡直就是不可能的任務。

於是我們不斷研究改善和加快電腦的生產速度，過去四十五天，先壓縮到三十七天，然後再進步到三十天、二十四天。

最近，我們工廠生產筆記型電腦，全部一千七百多個零件的電腦，組裝起來的時間，最快只要十七個小時。從接單一直到做出來，只要十七個小時，這在以前根本是不可能想像的事，但事實是，我們做到了。

客戶在五天內就收到他所訂的電腦，對客戶來說，是很有保障的事，因爲這樣他就不會買到跌價的，甚至過時的電腦！

過去，我們常常碰到電腦天天跌價，結果經銷商就天天回來跟我們吵的情形，因爲他只要幾天電腦賣不出去，他跟我們訂的電腦的訂價比市價還要高，經銷商買進的價錢比賣出去的高，他當然要抗議，這樣，光吵架就吵好幾天。

現在的情形完全改變了。因爲現在的經銷商都是資訊的提供者，經銷商已經是不用進貨、出貨了，在整個產銷的過程當中，經銷商根本就不摸機器的。甚至連電腦公司康柏本身都不摸機器了，而是從英業達的工廠直接運到客戶手上。

這種交易速度的完成，當然不只是靠廠商的生產速度加快就可以完成，交易時間的縮短，必須是產、銷、客所有環節的共同配合，這樣，當然就必須依照整個系統是建立在電子商務的運作下，才有可能完成。

三、經營費用（OVERHEAD）降低
——財務overhead、時間overhead

在電子商務這樣的速度下，我們很容易了解，這樣可以加速資本循環。

最近我們看到有很多電腦公司利用很少的資金，做十幾倍的營業額，大家都覺得不可思議。在某些財務專家眼中，這樣是不合理、很危險的。因爲財務專家認爲，這麼少的資金，怎麼可以做這麼多生意？

然而這樣的情形確確實實發生在台灣許多電腦公司身上，原因其實很簡單——週轉的速度快、資本循環的速度快，整個經營的overhead降低了。

我常常在提一個overhead的新概念——overhead不是只有指財務的overhead，還有時間的overhead。

時間是很重要的overhead。

時間是很重要的成本。即使在雜貨店這樣的傳統產業裡面，時間一樣是很重要的成本。在雜貨店中，如果五個人在排隊，很可能就會有人等得不耐煩，然後他就不買了。我相信大家都有這種不願意等待，而另外找一家店買東西的經驗，這種情形發生的時候，就是因爲時間就是很重要的成本。因此，無論是傳統商業或電子商務，大家可以了解，時間顯然是很重要的因素。

在我們今天這個世界，尤其金錢很多的地方，時間有時會比金錢更重要。能夠節省時間，就可以降低你的overhead，增加你的交易機會。

四、即時售前、售後服務

時間的成本不只是發生在生產、銷售這個過程中，還包括售前售後服務的投資上。

在傳統商務裡面，售前服務和售後服務都是很可觀的成本，任何一樣產品的上市，要花很多人力物力去廣告、促銷，東西賣出去以後，還要去解決顧客購買之後發生問題、要求你幫他解決問題時所產生的成本。

有了電子商務之後，顧客可以在售前試用，試用多少次都可以，而廠商本身並不需要在這些方面再投資成本，不需要準備器材讓顧客試用，也不需要有人去爲客戶解說，這樣省下來的成本是很可觀的。

售後服務也是一樣，你有問題，透過網路，就可以解決許多客戶要你幫忙的問題，事實上，關於售後服務，由於近兩年網路的快速發展和普及，已經有許多驚人的、新的服務方法在發展。

在美國，戴爾電腦公司有六千位小姐專門負責接電話，以便在電話中，或者是透過網路，即時對每一位顧客的電腦個別服務和指導。甚至可以透過網路，利用「遠端連結」的方式，把顧客的電腦和公司的電腦連線，讓公司的技術人員，在網路上直接幫顧客修理和解決電腦的問題。

任何一位顧客的電腦，都可以經由網路的連線，讓維護人員幫你修改，幫你操作。當然，做這樣的事情，在美國成本是相當高的，於是他們想到更好的點子——到菲律賓或印度這些人工比較便宜的地方，設置網路系統，請當地的電腦工程師來做維修的工作。對消費者來說，維修人員究竟是在美國、菲律賓或印度其實都是一樣的，電話打過去，都是講英文，都可以修電腦，「那個人」是不是美國人，是不是在美國境內，都不重要。

因此，現在有許多會講英文、懂電腦軟硬體的菲律賓或印度人，他們上網的目的，是打工賺錢，是教人家怎麼用電腦、維護電腦，這種服務，不但是以前無法想像的，而且可以做到真正的即時售前售後服務。

這種即時售前售後服務在以前是根本不可能想像的，一個住在印度鄉下地方的年輕人，可以在不離開他家鄉的情況下，竟然可以替美國的某一個電腦公司的用戶工作，教導他怎麼使用電腦。

五、顧客參與產品開發

電子商務的優點，和傳統商務完全不同的可能是，客戶可以參與產品的開發。

逛街購物是許多小姐女士們喜歡做的一件事，她們一間逛過一間，從中得到許多的樂趣，但是，如果是有目的的要去買一件衣服的話，卻很可能一件也買不到，因爲街上的衣服實在太多，偏偏沒有一件是自己喜歡的，這種經驗，就好像到一家規模太大的書店找一本書不是很容易一樣，應該是很普遍的。

這種情形意味著，已經生產出來的東西，大部分都不是我們要的！很明顯的，我們可以把人分成兩種，一種是producer，一種是consumer，也就是生產者與消費者。成功的生產者，必然聘請一些專家，在研究、猜消費者想要什麼東西，這就是爲什麼許多公司都要成立研究開發部門，研發部門除了研究生產的方法和開發市場之外，很重要的工作，就是研究消費者到底要什麼東西。

有了電子商務之後，就不必用猜的了，消費者可以直接透過網路告訴廠商，我就是要什麼樣的產品，請你根據我的需要設計出來。告訴你，你就去做，因此，這個消費者已經變成prosumer了，prosumer是一個新的名詞，意思是生產者和消費者兩種身分重疊的概念。

就是說消費者透過網路，直接就告訴生產者你要做什麼東西；生產者也許自己生產自己消費，這種情形在電子商務中是很快會發生的事，也就是說，產銷合一的時代已經來臨了。消費者在整個產銷的過程中，不再只是扮演被動接受產品的角色，消費者透過網路的即時傳輸和互動，可以很快的告訴廠商，他要的產品是什麼樣子，要有哪些功能，而廠商就根據他的這些需要生產產品給他，因此，顧客就從被動的消費直接參與了產品的開發。這就是電子商務的優點。

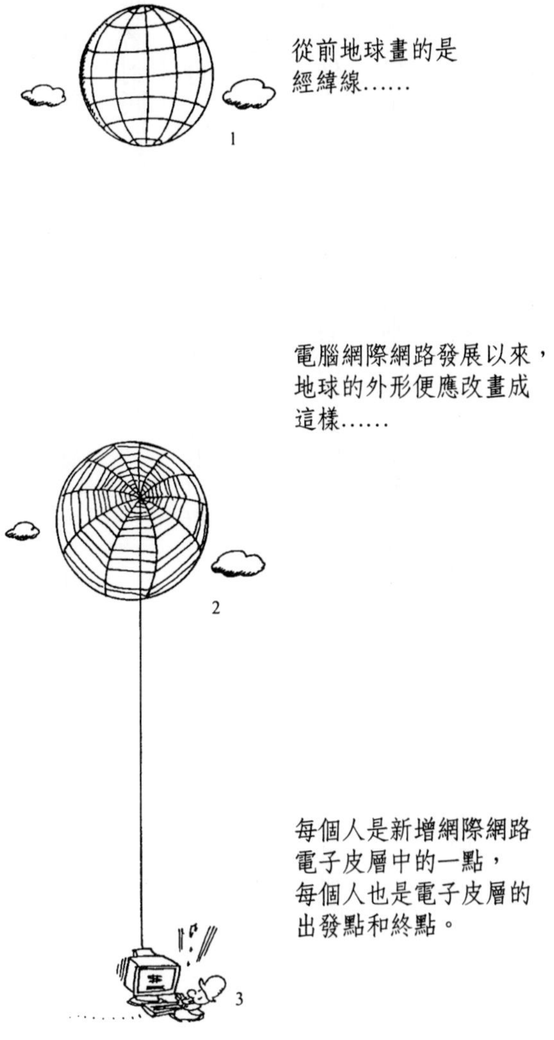
從前地球畫的是
經緯線……
1
電腦網際網路發展以來，
地球的外形便應改畫成
這樣……
2
每個人是新增網際網路
電子皮層中的一點，
每個人也是電子皮層的
出發點和終點。
3

第四章

E-cash：電子現金

電子商務必須建立在電子現金已經方便使用的基礎上，電子現金是現代資訊社會的特殊產物，而電子金錢是如何發展和運作？

在談電子現金之前，我們先來回顧金錢的發展史。

現金發展史

古裝戲中常常看到古代的人在從事交易或財貨交換的時候，使用的貨幣都是黃金多少兩、白銀多少兩這樣的名詞。這些古裝劇所用的現金，到現在還看得到，就是把貴重金屬當做現金。

而在更早的時候，原始社會的人們是用「以物易物」的方式來進行交易，我用幾斤稻米，換你的幾個雞蛋等等。這種情形，現在中國大陸一些比較偏僻地方的市集中，仍然可以看得到。

由於以物易物的方式很不方便，所以有人發明了用貝殼來作爲金錢的代替品，這在考古挖掘出來的東西中可以得到證明。至於爲什麼用貝殼來作爲金錢？這個原因也是很多考古學家很好奇的地方，一個可能的解釋是，貝殼在古代是比較珍貴的，因此作爲金錢的代替品。

在人類冶金技術的不斷發展下，從礦物中提煉金屬成爲非常重要的發明，因爲金屬可以製作武器和祭祀天地的禮器，是貴族階級的特權，因此貴重金屬漸漸成爲金錢的代表，經過政治力量的運作，金屬金錢被標準化、規模化或制度化，而成爲人類社會數千年來的主要金錢形式。

因此，大家可以了解，當一百多年前人類第一次開始把紙當作現金來使用的時候，爲什麼竟然沒有人要紙幣這樣的這個東西。因爲那時的人無法理解，一張紙如何可以代替金錢？

現在，大家愛鈔票愛死了，當時沒有人要鈔票，說一張紙怎麼代表我的財富，要黃金百兩這樣才行嘛！那麼，紙現金到現在是不會有人懷疑它的價值了，反而是如果今天有人去買賣東西是用黃金支付的話，反而會造成許多的不便和困擾，而且，可能還有人會先懷疑，你的黃金是不是真的。這是因為我們已經不用金屬現金，我們習慣和相信用紙現金的價值。

在時代的進步下，很快的我們已經開始用到電子現金了，你看我們現在的信用卡、無論是磁卡或者是IC卡，這些東西都是電子現金的一種。今天我們到百貨公司買衣服，給他一個塑膠片一刷，他就給你衣服，也沒有收你黃金幾兩呀，也沒有收你鈔票呀，他為什麼給你貨？就是他承認你電子卡上面的訊號代表了金錢，所以他就給你商品。事實上，我們已經不知不覺走到另一個現金的時代，這就是電子現金時代。

磁卡跟IC卡

磁卡

價錢便宜．保密性低

那我們接下來討論一下目前電子現金的主流：磁卡跟IC卡。

當然現在磁卡還是電子現金的主流，不過將來會全部變成IC卡。磁卡已經很普遍使用了，到處都可以看得見。磁卡的優點是製作的成本非常低廉，做一個磁卡事實上就是一個塑膠片印一個磁粉而已。

但是磁卡的缺點，是很容易被仿冒盜用，因此現在發行磁卡的信用卡公司通常要編列大筆的預算來應付可能發生的仿冒盜用的損失。

IC卡

保密性高

爲什麼IC卡式的信用卡或金融卡會是將來電子金錢的主流?最主要的原因就是磁卡的保密性不夠。

以前。日本的NTT公司有一種電話卡，是用打洞的，還不是磁卡，這種卡片每年有將近百分之三十被仿冒。現在大家都知道信用卡由於仿冒的問題很多，所以一般信用卡公司都會提撥百分之四到五作爲呆帳，如果把那些呆帳拿來做IC卡的成本，就已經綽綽有餘了。

到現在爲止，法國已經發行了六千萬張IC卡，沒有發生過任何一宗仿冒或詐騙的案件。這個實驗情況已經證明IC卡保密性非常高，甚至當IC卡被盜用的時候，你可以馬上取消密碼。

容量大（可儲存客戶資料）

IC卡的另一個特色是容量很大。目前我們所用的磁卡大概是0.5K、1K byte的memory（記憶體），而IC卡則有幾十個MG，將來甚至可能可以到幾百個MG都有可能。

IC卡的記憶體這麼大，因此可以儲存很多資料，不只可以儲存自己的密碼、代碼，還可以儲存很多資料，包括個人的年齡、職業、電話、地址、收入、喜好，還有你的所有消費情形等等。

也就是說，你可以把IC卡插進機器裡面，你這一個月的花費究竟如何，它就能夠通通顯示出來，很方便使用者查詢消費追蹤。同時，它可以儲存客戶的資料，這些資料，你可以選擇公開或不公開，不公開當然是爲了保密，公開，則是方便所有的消費廠商提供進一步的服務，包括新產品的上市推銷、特賣活動的通知等等。當然，也便於我們做前一章提到，未來網路商務活動裡面分析客戶要什麼東西。

可程式性（programmable）

IC卡的第三個優點是可程式性。

可程式的意思是，你可以設定IC卡中的程式，限定金錢的用途與限制。

例如，我們今天給小孩一百元，是叫他到7-11買早餐吃的，如果給他現金，他拿去做什麼你是沒有辦法追蹤、控制的，很可能，他早餐沒吃，錢通通拿去打電動玩具了。這問題很嚴重，也很讓家長傷腦筋，但我們又沒有辦法控制。

用IC卡就不會有這個問題了，我們甚至可以一次給他一千元，但這一千元是可程式性的。比如說，你可以設定非在7-11花不行，到其他地方消費就不可以；另外，到7-11買菸買酒也不行，如果你的小孩未滿十八歲的話。我們把這些條件全部設定好，就可以很放心的把IC卡交給他，這就是可程式的優點。另外，由於IC卡是可程式的，存放的金錢額度用完了可以再灌，非常方便。

IC卡也不怕遺失，因爲它的保密性很高，加上可程式的特性，如果IC卡遺失了，你可以立刻取消卡片，讓它無法使用。這些，都是IC卡可以成爲電子金錢的主要原因。

消失中的傳統銀行

談過電子金錢E-cash的發展以後，我們要談到一個可能令銀行家很傷心的事情，就是傳統銀行可能消失。

銀行可以說是現代人非常重要的一個機構，因爲它是安全存放金錢的地方，而且提供金錢保值的保障，並且幫我們安全處理財務往來。

秀才不出門 能買天下物

電子商務將發展出電子錢包、網路收銀機、電子銀行、電子現金、電子支票，個人坐在家裡便可以向全球任何國家地區完成交易。

傳統銀行的角色

銀行是如何出現的？了解銀行的起源和它的功用之後，我們可以更加容易了解，爲什麼傳統銀行可能會消失。

古裝劇裡那些用白銀幾兩黃金幾兩來交易的時代，是沒有銀行的，在中國，也是要一直到比較近代，才有錢莊的出現，而且數目極爲少數。

那麼銀行又是如何產生的呢？我們回顧歷史，可以發現，銀行的出現，完全是伴隨著紙現鈔、紙現金而產生的。

我們看看銀行都做些什麼事情，就可以了解銀行產生爲什麼是伴隨紙幣的出現而來的了。

現金的存（存款）、提（提款）、保（保管）、送（傳送）

傳統銀行最重要的任務之一是，紙鈔的存（存款）、提（提款）、保（保管）、送（傳送）。

假設有一百萬現金，你可以選擇偷偷放在床底下，可是如果有兩千萬，就不能放在床下了，放不下嘛，這麼多的現金，一定要拿到某一個安全的地方去存，那個地方，就叫做銀行。

現代人平常把錢放在銀行，需要用的時候再提，所以銀行管存，也管提。還有保管，在存放款之間，銀行就要負責把錢保管好，並且在我們需要的時候，幫我們把錢轉送到別的地方。如果大家到紐約華爾街，有個地方每天下午有場秀——錢的運送過程。他會秀出一個棧板，一個棧板就是一億美元，一生中沒有看過一億美元現鈔的人，可以到現場站遠遠的看，原來一億美元就是一個棧板！銀行就是管紙鈔票的存、提、管、送。

但是以後沒有紙鈔票了！在未來的幾年內——不是幾十年，而是幾年內，紙鈔票就會漸漸被電子現金所取代。電子現金流行之後，我們就不需要到銀行領錢了。例如，現代上班族的薪水很多是由任職的公司，每個月定時用匯款的方式直接把錢撥到個人的銀行戶頭裡面，連存錢也都不必親自上銀行了。

事實上，現在一些比較進步的國家，人們已經不太需要上銀行了，因爲自從提款機裝在各個角落，大家可以很方便提款；日本的提款機甚至是裝在雜貨店裡面，那就更不需要上銀行了。好幾年以前，紐西蘭的超級市場就已經不必用現金了，你去超級市場買東西，只要拿金融卡（不是信用卡）給他，收款員的機器就會從你的銀行扣除款項，萬一你需要一些現金，你也可以叫他付給你現金。

由此可見，傳統銀行的工作正在逐漸改變了。

過去，我們所有和金錢往來有關的業務，都必須透過銀行處理。所以我們要到銀行去，先在櫃台拿一個號碼牌，然後等櫃台人員叫你的號碼，才去辦你要做的事。

這樣的時代已經過去了，因爲以後所有的財務服務都是可以用電子轉帳的方式處理。這樣一來，傳統銀行就不需要占領街上最熱鬧的角落了，從建築、設備、人員，都要花很多錢，需要許多成本，有了電子金錢的轉帳服務之後，根本就不需要這些東西。換句話說，我們以後根本就不需要傳統銀行了。

傳統銀行的代替者

假設傳統銀行消失了，但還是需要有人幫忙處理錢的事務，到那個時候，是誰？或是什麼機構來代替銀行呢？

所以我們會有新的替代者出現，誰會變成傳統銀行的替代者呢？如果傳統銀行正在消失——不是說已經消失——因爲不再需要了，所有東西都是處理信號嘛，這樣誰會是傳統銀行的替代者？

產品大企業

最有可能的代替者，第一個就是生產產品的大企業。

現在很多企業的規模比銀行還大、還有錢。美國現在很多大企業，尤其新興的電腦公司，他們都不是比業績，比誰的cash多——據報導有的cash

比銀行還要多。這些大企業的規模既然比銀行大，自然就可以代替傳統的銀行——當然，這當中還有法令的問題需要更改和解決。

如果從銀行的功能來看，在這些大企業或公司裡面，必然會有一些部門專門處理員工的薪水、日常事務的費用、產銷成本的管理，或者是廠商的費用等等，這些事，其實和銀行的工作是一樣的。

在這些公司的財務業務中，就是負責保管的工作。因爲現在沒有金錢的管跟送，只有存跟提，所有金錢的來往、交易，都只是一種訊號、一種數字。而這種訊號交換的方式，並不是銀行才會有的「特殊功能」，因此大企業有可能取代傳統銀行。

銷售大企業

另外可能代替銀行的，是從事銷售的大企業，像7-11。

假設今天有一個人每個月賺五萬元，他一算，每個月要固定花五千元在7-11購買日常用品，那麼他就可以乾脆到7-11買一張價值五千元的卡，作爲每個月的固定支出，這樣他可以不必每次去買東西的時候都要帶現金，也可以比較有預算概念的處理財務。由於這五千元的花費對象是特定的便利商店，而且買了卡之後就等於是已經預先支付了這筆錢，在還沒消費之前，等於是先把錢放在便利商店，因此，便利商店可以給這樣的顧客一定的折扣，比如給個百分之五，百分之五雖然比銀行利息百分之〇·五要好多了，但對已經收錢的便利商店來講，已經先拿到錢了，而且保證這個客戶一定會在自己的店裡消費，而他消費的時候，便利商店還可以在銷售當中獲得一些利益。而且，百分之五的折扣是可以考慮的嘛，因此，客人也就不會到別家便利商店消費了。

在這樣一個狀況之下，銷售的大企業其實就像一般的傳統銀行，很容易吸引「定時存款」的客戶，同時處理了客戶金錢的進出等等。因此，銷售大企業很容易成爲傳統銀行的代替者。

金融商品操作公司

可能取代傳統銀行的，還有金融商品操作公司。

所謂金融商品操作公司，就是股票證券公司。這些公司所提供的服務，是比較專業的理財服務，比傳統銀行的財務服務複雜許多，而且由於來往的金錢額度都比較大，所以這類的金融商品操作公司的規模通常也都很大，加上他們可以提供更多的理財服務，因此絕對有能力取代傳統銀行。

第五章
E-commerce & E-cash

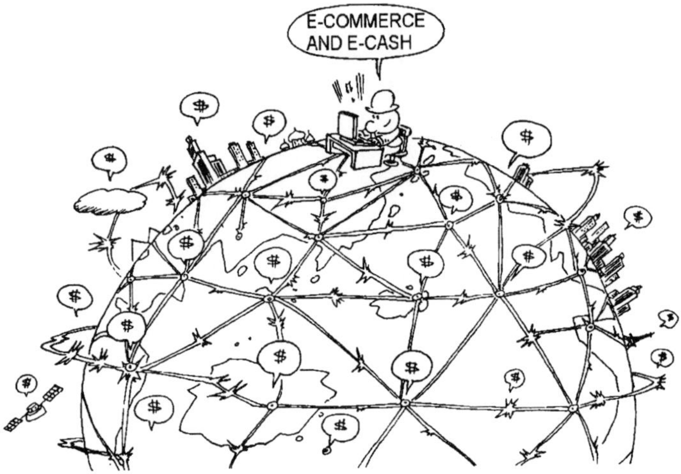

前面所提到的各種機構，一樣要給我很多利息，而且轉帳更方便，這些都取代了傳統銀行的角色，所以電子現金的衝擊，不但會改變我們生活的方式，而且會改變處理現鈔的仲介單位——銀行。如果電子商務和電子現金這些夢想、理想都實現的時候，我們的生活會發生什麼現象？

也就是說，E-commerce & E-cash——E&E結合起來之後，對我們的社會有什麼影響？

仔細分析，我們至少可以發現電子商務和電子現金密切結合之後，有以下的各種影響：

顧客願望的實現

花最少的時間與精力

在最短的時間內

用最低的價格

取得自己想要的商品或服務

第一個影響是：客戶的願望可以實現。

在傳統的商務活動中，每個店也好、每個公司也好，有很多推銷員很辛苦努力的推銷；推銷員做的工作，就是跟客戶講：「你把你的錢給我，我把我的產品和服務給你。」

很明顯，這是爲了達到廠商製造產品和企業銷售商品的目的所產生的商務活動。

然而，顧客心裡必然會想，無論你說的產品是如何如何的完美，服務是如何如何的殷勤，但我爲什麼要把我的錢給你？你想賺我的錢，問題是，我爲什麼要買你的東西讓你賺錢？我爲什麼不給別人賺？

由於顧客在購買物品的時候，都是以自己的需要出發，因此，當市場有相同產品的時候，就會出現多方比價、考量的情形，因而引發實力相當的產品在價格上競爭激烈，或者不斷增加新的功能以吸引消費者。出現這種情況的原因，全都因爲廠商的願望和顧客的願望常常不是相同的。

但是如果情況反過來，推銷員出去所講的不是「我的產品有多好，請你來花錢購買」，而是「我是來實現你的願望的」，「你的需求是什麼，讓我來想辦法爲你達成」。這樣，顧客就那很容易聽得進去——你是來實現我的願望，那麼我很高興——生意也就容易做成。

可是，客戶的願望是什麼呢？

客戶的願望非常簡單——花最少的時間和精力，買到最想買的東西。用最低的價格，取得自己想要的商品和服務。

比如，我要買一瓶可樂，到樓下買就好了，不必像在美國要開半個小時的車子才買得到——這就是花最少的時間和精力。同樣的，在最短的時間內，五天，讓客戶拿到他要買的電腦。這就是客戶的願望。

也許有的人會認爲，每個客戶的喜好都不一樣，我如何能了解他們的願望是什麼呢？

用最低的價格，取得自己想要的商品和服務，客戶的願望其實非常簡單。在大部分的時候，我們每一個人除了自己就是生產者和銷售者，同時也是客戶。因此，要理解客戶的願望並不困難，只要把自己當成客戶，想像你在整個商務活動中想要獲得的，你就會發現就是這麼簡單。我們的願望就是用最少的時間和精力，在最短的時間內，以最低的價格取得自己想要的產品和服務。這就是客戶的願望。而電子現金和電子商務的便利性和快速性，很容易實現顧客的這個願望。

供應鏈願望的實現

最小的overhead從事最大的商務活動

在商務活動中，除了最終的消費者之外，很多人同樣在扮演著供應鏈的角色。

無論生產者或銷售者，我們都是供應鏈的一環，願望都可以實現。

我們的願望是什麼？其實也很清楚：用最小的管理成本（overhead），

從事最大的商務活動。

現在的便利商店，管理方法已經相當有效率，並突破了傳統商務的許多瓶頸。可惜，便利商店中的商品大都價格不高，所以，即使便利商店已經取代了傳統的雜貨店，但顯而易見的，便利商店還是無法突破「身材嬌小」的經營格局，也從來沒有人敢想像，在7-11等便利商店中可以賣一台幾十萬元的汽車，或一台十萬元的電腦？

用最小的overhead，從事最大的商務活動，這是大家的夢想。

在電子商務中，我們可以利用網路便利查詢的方

美國、日本、英國、德國、義大利是使用網際網路服務百分比最高的前五名。

目前25%的美國家庭擁有網際網路的服務，5%的美國人曾透過電子商務購物。

式，增加銷售產品的項目和種類，因此在相同的管理成本下，可以做到更大的商務活動。

流動庫存、零交期時代

對供應鏈而言，電子商務和電子現金的第二個優點，就是沒有固定的庫存——流動的庫存、零交期時代。

當然，目前比較強勢的廠商和商店也沒什麼庫存，但是，事實上它不是沒有庫存，而是把庫存轉嫁到供應商上面。這都不是真正的流動庫存，即使經營成功的時候也要想到，這樣對整體產業來說，是很不健康的。

例如開一個裝配工廠，我就要常常召集詢問廠商有沒有賺錢。他們沒有賺錢的時侯，我們就要開始憂心忡忡，因爲如果是我們把他們的錢賺走，就表示整個產業的結構有問題，如果我們不是在市場上賺到錢，而只是把庫存成本轉到供應商上獲取利益，那最後受到傷害的將是整個產業。

所以要促進整個供應鏈的流動存庫，達到零交期，使大家都賺錢，這是活用電子商務和電子金錢可以得到的效果之一。因爲你有貢獻就應該要賺錢。對整個產業來說，這種數位管理的方式，甚至可能是決定一家公司或一個產業是不是能夠和別的產業競爭的主要因素。

客戶重覆採購

經由電子商務，就會讓客戶自動重覆採購，因爲我們可以知道客戶的資料，知道他的願望，充分利用這些資訊和方法，就可以找到讓客戶重覆採購的方法。

因爲經由電子金錢和電子商務系統，所有的訊號都連在一起，廠商很容易掌握和分析出客戶需要的東西是什麼。

我曾經在日本一家百貨公司看到一個系統，他們記錄了一對新婚夫婦來買床的資料，新婚夫婦通常都是先買床嘛，因爲他們大部分的活動都在床上。他們買了床之後，寢具部門就馬上通知家電部門，因爲床買完之後，通常就需要買家具、家電等等，而他們的財務狀況，喜歡的風格、顏色等等，從他們進入百貨公司買床開始，就被百貨公司的人整理好了，於是各部門整個連貫起來，爲他們的喜好和需求訂製適當的採購指南。這樣百貨公司等於是主動實現客戶的願望，包括替他們把顏色挑好，配合他們的家具需求等等。這就自然很容易讓客戶自動重覆採購。

美國一家化妝品公司有一句很有名的廣告，他們「比女人還要懂女人」，因此，他們所生產的產品，都是為了滿足、實現客戶的需要。這個廣告很迷人，也讓人很有信賴感，自然也容易吸引客戶重覆採購。

事實上，對所有的廠商或企業來說，「顧客在哪裡」永遠是最重要的問題，而經由電子現金和電子商務的系統運作，任何一家廠商都能夠輕易掌握他們的舊客戶，並且隨時使舊客戶成為新客戶。

現金擁有者

最後，每個企業或供應鏈要以現金擁有者自居。企業不能只以一個月生產多少台、一個月多少營業額而沾沾自喜，要以現金擁有者自居。當然這個現金不是來自於拖欠廠商貨款，而是來自於真正經營的結果。

電子商務和電子現金的好處，是交易的完成幾乎與金錢的往來同時決定。顧客買了東西，刷了卡，就等於也把錢交給了廠商，廠商收到的不會是長期支票，也不會是假鈔，因此可以擁有現金。

而電子商務加速企業經營的結果，自然也加速了企業現金擁有的速度。這些優點，都比傳統商務要高明許多。

待克服的問題

當然這些都是理想，電子商務還有一些待克服的問題。

人類的消費慣性

首先最需要克服的，是人類的消費習慣。

今天有很多人是不用電腦的，這樣電子商務的威力就不容易發揮。我常常講，最不會用電腦的有兩種人：一種是年紀大又有錢，沒有錢就會乖乖的用；另外一種是年紀大而又有權的人，他也可以不要用電腦；很多日本大公司的社長都不好意思學電腦，我都是私下偷偷教他們怎麼用，雖然事實上電腦很容易學的。而這兩種人，占了商務活動中的主要決策部分。

除此之外，還有許多人是不會或不懂得用電腦；甚至會用電腦，但購置物品的習慣還是不容易改變。

人類的習性不容易改變。今天電腦對我們的影響這麼大，可是社會上還是有很多人想著：我就是不用電腦。這種情形不足爲奇，因爲人類有抗拒科技的天性。

在貝爾發明電話的時候，當時人類的遠距通訊是用摩斯電報，非常的不方便，電話的發明使得身處遠方的兩個人，可以透過電話和電話線直接用聲音溝通。現代社會中，電話已經是不可或缺的重要聯絡工具。然而貝爾發明電話的時候，當時人們卻是極力反對，有人認爲它不可能存在，還有人認爲它是不好的。

1997年全球消費者透過電子商務的
交易額為13億美元。
2000年將會增加到100億美元。
企業與企業之間的交易額
更可高達671億美元。

1999年美國企業投入電子
商務的投資金額約占
全部企業的總投資金額的18%
2002年會增加到38%。
電子商務的洪流已經在
全球發燒。

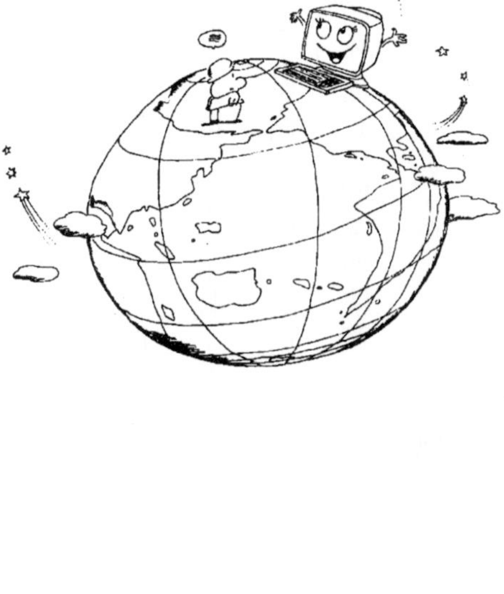

因此，當時許多架電話線的工人，常常被憤怒的群眾暗殺。人類反對科技的抗力可以大到如此地步，在電話如此普及的今天看起來，似乎是無法想像的。

中國清朝末年的時候，也發生過類似的情形。那時火車剛剛引進中國，爲了鋪設鐵路，不知道引發多少次民眾的嚴重抗議和衝突。所以我們也都應該了解，人類反對科技的習性與力量是不足爲奇的。

電子錶和傳統錶的情況就是最好的例子。

一九七二年，我親眼看到世界上第一個電子錶，由於電子錶非常便宜和準確，當時所有錶界的巨人都以爲，這個數字的錶很快會取代傳統錶。

但是，二十多年過去了，一九九八年，全世界賣了七億支手錶，其中只有二億支是數字錶，另外五億支還是傳統錶。可見人類的習性是很難改變的。所以任何挑戰改變人類的習性，都不是一蹴可幾的。

一般人在面對像電腦和網路這樣的科技時，最容易發生的誤會有兩種：一種是相信科技萬能，認爲電腦是什麼事情都可以解決的；另一種，則無理性的排斥科技。兩者，都是不對的。

排斥科技是人類共同的天性，而這個問題，唯有等待時間來解決。

法律的問題

電子商務需要克服的第二個問題，是法律的問題。雖然說很多東西透過網路運作的電子商務，固然可以讓人到全世界各地去問價，到處跑來跑去，用最便宜的價錢找到最喜歡的東西；但是，這都牽涉到很多的法律問題。例如，買的東西可能無法運過來，因爲可能那個國家不准它出口，或者是這個國家不准它進口，以及進口的時候關稅如何訂定等等，這些都是法律的問題。另外，還有錢的收付方式是不是被政府允許，例如，從台北直接轉錢到外國，沒有經過中央銀行，可能就不會被允許了。

還有種種我們現在無法想像的問題都會出現，而那些問題都必須依靠修改法律或重新制定法律來規範，所以我們還有許多法律的問題待克服。

電子商務的希望：美國先行

雖然電子商務還有許多困難需要克服，不過我們也不必太過擔心，因爲網路科技是無法抵擋的趨勢，電子商務的普及，也是遲早的問題，而美國一定是全世界第一個碰到這個問題的國家，也是最可能先解決這些問題的國家。

所以到時候這些問題我們都很好解決，因爲有一個老大哥在前面——美國先行。所有的事情只要密切觀察美國怎麼做，我們跟著做，然後再作適當的調整就可以了，或是作了調整以後再想想該怎麼做，這就都不是太大的問題了。

第六章

未來商務的贏家：E+T>T

電子商務金額成長預測

一九九九年三月，康柏（Compaq）公司前任總裁Eckhard Pfeiffer在北京商務論壇演講中，提供了以下數據資料：一九九八年全世界只有八百億美元的商務活動屬於電子商務（E-commerce），而全世界的商務活動接近二十兆美元，預估一九九九年電子商務會成長到一千七百億美元，二〇〇〇年會到三千九百億美元，到二〇〇一年接近一兆美元，到二〇〇二年全世界有百分之十的商務活動會在E-commerce上進行。Eckhard Pfeiffer說：「幾年前，我們立志做世界最大的PC工廠，我們做到了，後來又立志要成爲世界三大電腦工廠之一，也做到了，將來，Compaq要變爲世界上最大的Internet Company。」包括設備在內，E-commerce所提供的商機，已經遠超過我們的想像。

根據市場研究機構Forrester Research估計，一九九八年美國和歐洲上網交易金額超過五十億美元。企業間的網路交易，則高達一百七十億美元。

電子商務的重要性，不只表現在與日俱增的交易數額上，尤其重要的是，網路改變企業與企業的交易行爲，以及運籌的模式。

一九九八年五月二十日，CNN報導IBM以「電子商業」（e-business）的新定位，在網路經濟轉型成功。五月中，美國股市道瓊指數上升到歷史新高點，達到一萬一千點，華爾街紛紛感謝IBM的大力拉拔。當日IBM股價飛漲到二三二美元，比起其他網路熱門股更勝一籌，雅虎一五一美元，網路拍賣公司E-Bay是一八六美元，網路書店亞馬遜是一三〇元。

「網路不只是增加新生意，更是創造新的商業模式。」IBM總裁葛斯納指出，電子商業不只增加線上零售和效率，更提供完全不同的企業經營方式，運用網路會成爲企業的核心流程。

網路威力不會只限於高科技業

特別值得注意的是，網路的威力和顛覆性不會只限於高科技業。旅行社、汽車經銷商、百貨公司甚至零售商店等等，都面臨生存和轉型的危機。

我在韓國演講電子商務這個題目的時候，有一位零售業者曾經非常不以爲然的說，我的零售店就賣那麼幾千種貨品，哪裡還需要什麼電子商務呢？

於是我向他解釋：「即使你的零售店有幾千種商品，也無法讓客人輕易了解你什麼東西放在什麼地方吧？」他點頭說是。

然後我繼續問：「如果客人來你店裡，問有沒有賣什麼東西的時候，你的任何一位店員，都可以立刻回答，並指出那個貨品是放在什麼地方嗎？」他說，不行，這有點困難。

「電腦和網路可以讓任何一位員工，甚至任何一位客戶，用最短的時間就知道你的店裡有什麼東西，並及時主動通知你補貨。」這位韓國朋友聽到這裡，已經改變了他對電子商務的看法。

而其實，電子商務在傳統產業的應用上，還有更多的幫助。

E>T or T>E?

談到電子商務，由於它挾帶了高科技的力量，彷彿對傳統產業有非常直接的衝擊和影響，但電子商務對許多人來說，又好像還很遙遠，因此，電子商務和傳統商務之間的關係，究竟是電子商務的規模比較大，還是傳統商務的規模大，兩者之間會不會產生嚴重的衝突、是誰會打敗誰等等問題，一直備受爭議和討論。其實，無論是E>T，還是T>E，都不是很正確的看法。而且，也沒有必要去比較兩者之間的衝擊。

因爲，我們可以非常肯定一件事，那就是

E+T>T

任何一個行業，使用和不使用科技技術與力量的差別是非常明顯的。

我有一位朋友，是很高明的木匠，對中國古典家具不但有很深入的研究，而且他自己就有很好的手藝製造古典家具。他常常感嘆，現代人做的東西都非常粗糙，不像古人的工藝，充滿優雅的美感，然而，有人請他親手做家具，他卻從來不願意答應，許多朋友對他這麼不講交情非常不滿意。他說：「我是有能力做，但手工做家具，實在太花時間了。」

後來，他無意中發現了一些新的古董家具，東西是新的，可是工藝卻很老到，他大吃一驚，到處打聽是誰做的，後來才知道，那些仿古家具竟然也是現代化工廠的傑作。那個工廠的老闆很聰明，他買了許多古典家具的書，利用電腦的輔助繪圖軟體分析和設計新的產品樣式與流程，並加上最新的「組裝」觀念，他果然成功的開發出古典家具的現代生產流程，不但大大降低成本，而且品質也相當可觀。

「古人要花幾十年時間學的工夫，電腦可能在瞬間就完成了。」

電子商務的崛起，已經明顯的影響了許多傳統商務的生存，而還沒受到影響的產業，也必須及時了解並運用電腦和網路的技術，畢竟這兩種科技是「網路時代」最關鍵性的力量，任何人和任何行業，都不可能不受到它的影響。

台灣已經在一九九九年六月出現了網路購車的服務，推廣這項電子商務網路購車服務的台灣通用汽車，由五位線上即時服務人員、廿四小時輪流值勤不打烊的服務，結果一個月下來，每位網路業務代表平均一個月賣出五・六輛汽車，大幅超過傳統展示通路一個月平均三輛的成績。

這個事實證明了電子商務的威力是不可限量的。以前，人們買東西總是習慣「眼見爲憑」，尤其是像汽車這麼昂貴的消費，更是需要多方考慮和比較，在沒有網路的時代，要買一部自己滿意的車是非常辛苦的事，首先要收集各類品牌同等級車子的資料，然後在配備、價錢、顏色、內裝、售後服務種種細節上去考量，結果，折騰一個月下來，最後買到的卻有可能是最不滿意的，原因是：資訊收集不夠完整，以致影響了判斷。

網路購車（其他的商品也是一樣）至少可以提供非常豐富的資訊，省去許多奔波，再經過銷售人員線上的即時解說，效果不會比親自到現場去看車子差。

在電腦科技這麼發達的時代，電腦幾乎已經成爲人們生活和工作的基本平台，再過幾年，不會使用電腦和網際網路的人，可能就會像以前的文盲一樣，很難和外面的世界溝通，商務活動的影響當然會更深遠廣泛，一個不會使用電腦和網際網路的商人，就好像只拿著小刀要去和配備著飛機大砲的對手打仗一樣。

電子商務爲我們開啓的是商務活動的新大陸，前景發展完全不可限量，而成敗的關鍵，也許就在你是否會在這個新天地中缺席。

附錄

忠誠會員制的新時代

電子商務的硬體發展與資訊整合

林文堯（英業達股份有限公司協理）

忠誠會員制，是英文Loyalty Program的翻譯。

忠誠會員制從字面上來解釋，就是集合一些有品牌忠誠度的人，形成特定的消費族群。忠誠會員制對企業的營運來說是很重要的，因爲忠誠會員制可以讓消費者成爲你的固定消費者，並且有意願繼續來買你的產品或服務。

忠誠會員制的過去與現在

忠誠會員制，是一種鼓勵消費者加入，以提高消費者對商品或服務忠誠度的一種制度。

當然，要鼓勵消費者加入成爲會員，往往需要有相當的誘因，常見的方法，是提供現金折扣、紅利或是累積點數以兌換贈品等等。

企業最重要的資料庫

由於電腦的發明與網路的運用，忠誠會員制由簡單的資料收集，逐漸演變成企業界最重要的資料庫之一。對所有的企業而言，能掌握住客戶的這個消費習慣、客戶群的基本資料，對產品的規劃和銷售都很有幫助。

另外，忠誠會員制逐漸由簡單的制度，演變成科技主導的龐大資料庫。在科技的幫助下，忠誠會員制能夠提供很精密的資料。

提供精密資料

忠誠會員制資料的管理和運用可以分爲三種：第一種是最簡單的會員

資料的管理，如俱樂部有多少會員、會員加入的時間是什麼時候、年齡、地址等等這些資料。

第二種資料管理比較精密，除了基本資料之外，譬如說消費者的消費記錄、消費習慣、或個人的偏好或厭惡等等。

在新科技幫助下，又出現了第三類的會員忠誠制，那就是加入電子現金（或稱電子貨幣）的使用以後，所出現的最新的會員資料庫。而會員制爲什麼要作電子化呢？

電子化資料庫的運用

電子化以後的會員資料庫能提供企業什麼好處？答案是成長的機會！

在一般企業的管理系統中，最主要的管理是錢流、資訊流以及物流。

目前大部分的系統裡，錢流的管理還是現鈔，而處理現鈔是一個高成本的工作。資訊流只能做比較粗略的、大概的估算。物流則是隨著企業的成長而成長，基本上以服務企業本身爲主，產生的效益並不高。

電子化以後，錢流變成了電子現金，節省大量處理成本；資訊流從粗略的估計演變成精密的資料分析；物流方面，除了和公司業績相關的固定成長以外，還能夠再加上其他成長的機會。除了節流外，重要的是它能創新開源的機會！

電子現金系統的發展

快、狠、準的新交易主義

電子商務整合了全球的物流、資訊流、錢流，使得人和商品、客戶與商家、國與國、地域與地域之間的疆界化為無形，而成為全球無界線的單一市場。

電子化的會員制度需要哪些要件呢?也就是說，如何建立電子化的會員資料庫呢?

要推廣忠誠會員制，最好有相關的硬體設備和軟體程式來配合，因爲忠誠會員制很重要的一件事，就是知道客戶基本資料，以及他們的興趣和喜好。而這個系統，其實也就是電子現金與電子商務的基本需求。

電子現金的硬體設備發展

我自己因爲任職英業達公司的關係，曾經深度參與了電子現金系統的開發工作。其中的經過，簡單來說是這樣的：

一九九五年，英業達公司與日本TEC公司合作開發電子收銀機。

一九九六年，英業達參與英國銀行界發起的Mondex計畫，在這個計畫中，我們負責開發個人提款機並兼具電話功能的終端設備，Mondex可以說是目前最成功的電子貨幣之一。

一九九七年，Mastercard International Incorporated（萬事達卡國際組織）買下Mondex百分之五十一的股權，證明Mondex是一個非常有發展潛力的電子現金系統。

最近，在英國成立Buzziline公司，與英國電訊（British Telecom）合作推廣個人螢幕電話、個人提款機以及各項的會員計畫。

電子現金系統的應用

一個電子化的會員制系統，首先需要完整的硬體架構，需要專門的伺服器來和收銀機應對，這個伺服器的功能主要是收集來自收銀機的資料，由於現金也電子化了，所以任何一筆消費發生的時候，收銀機都可以讀取IC卡裡面的資料，並改變IC卡裡面的資料，比如扣去消費的金額、重新加入金錢的額度等等，由於任何現金的異動都必須經過現金系統的監督，因此，當有消費發生的時候，伺服器裡面就可以立刻儲存這一筆消費發生的時間、地點、金額，以及是誰的消費等等。

除了這些在店面會發生的商務活動，另外，目前電子現金系統也發展出了螢幕電話產品。這種產品有上網的功能，除了在商店外，在家裡也可以取得商家提供的服務或產品資料。同時，這種電話機也是付款的工具，就像我們現在所熟悉的提款機可以轉帳一樣，可以讓我們在家裡就完成金錢來往的動作。這樣的機器當然也具備了提款的功能，和現行的提款機不同的是，這個電話機提供的是電子現金，你把卡片放上去，鍵入密碼和選擇功能，就可以把錢從銀行轉到卡片上。

在一些先進的國家，如美國、英國、香港等，都已經推出或是試驗這一方面的產品，甚至在大陸也已經訂定電子現金的規格。這種產品的特色包括大型顯示螢幕、個人日常資料管理。大螢幕上能顯示如中、英、日、韓等多種語言，再籍由電訊以及資訊的功能，提供互動式的服務。

譬如說，我們今天要買一張CD，可以先打電話到一個網路伺服器（方法和打普通電話一樣），然後在伺服器提供的眾多服務裡，選擇「音樂」項目，依照語音及文字的提示，輕鬆的按幾個鍵去選擇，跟提款機的使用一樣簡易，伺服器就會根據我們的選擇做出回應，比如告訴我們現在最酷的專輯、撥放音樂試聽，覺得滿意的話，就利用這些按鍵來決定是否選購。購買時則可直接利用電子現金卡來付款。

除了互動式的服務，還能提供E-mail的功能。另外，還有IC卡槽及六個類似提款機上的功能鍵，使用方法也和提款機一樣，相當容易。

除了以上的設計使用之外，電子現金卡還可以在個人電腦上使用，只要加上一個讀卡機，消費者可以在上網的同時輕鬆的付款。

忠誠會員制電子化的優點

提高消費者忠誠度

忠誠會員制電子化之後，能提高消費者忠誠度。

以很簡單的例子來講：我們今天買了中華電信的電話卡，很顯然的我們以後就是要利用中華電信的服務，我們不能拿著這張電話卡到別的系統使用。同樣的，我們買了這一家公司的卡片（如台灣現在非常流行的大哥大易付卡），我們就是一定要到這家公司來消費。

預收現金以及減少現鈔處理的成本

忠誠會員制電子化以後的第二個好處，是它可以預收現金以及減少現鈔處理的成本。

很明顯，消費者購買了儲值卡後，商店馬上會有現金的收入，而這些現金都已經轉入電子化的格式，變成電子金錢，所以它在流通的時候（即使用的時候），它是藉著網路以及電話線來流通的，這樣子的話自然會減少現金處理的成本。而處理現金需要花費相當的成本。

我們比較一下利用電子金錢系統以及傳統銀行系統的現金流量。

在廠商自行運作的系統中，消費者買了可以儲存電子現金的IC卡後，等於是先把現金交給廠商，接下來，他每次去商店買東西時，IC卡上的錢就立即轉到收銀機裡面。收銀機每天把收到的錢傳回到管理系統去，進行一天的結算，也就是轉帳。這些動作，由於全部都是電子訊號，而且是公司內部的系統，完全不需要經過銀行，也不需要人工的盤點。

這樣的過程，如果是在銀行的系統下運作，假設消費者花了一百元買IC卡，這一百元就馬上轉到銀行的手上，接下來不管是到收銀機或是到清算系統，這個階段的實務現金全部是在銀行裡面。最後轉帳的動作也要透過銀行，銀行和企業清算後，企業可能只得到百分之九十七或百分之九十八，依據實際情形而定。

如果是在自我的系統底下，消費者所花的一百元，在他買了IC卡以後，就全部在企業體裡面了，而不是被銀行清算的九十八或是九十七元。

電子現金的優點在於它的可加值性（reloadable），或稱可灌製性。假設我今天買了一百元IC卡，過兩天用完了，我可以拿一千元現金，到商店去請他重新灌製，或者直接從我的帳戶裡面，把一千元灌製到IC卡裡面來。

因爲電子現金有這個優點，所以不只是環保，而且可以幾乎無限次使用，也就是說，這是一次性的投資，並不是說每次用完了以後，我要另外投資錢來買一張IC卡。

可程式性

電子現金還具有可程式性，可以預先設定它的用途，例如限制十八歲以下的使用者不得購買煙酒等等。也許有人擔心IC卡如果丟掉了怎麼辦？這也不必擔心，因爲本身是可程式性的，我們可以設定卡片的金錢額度。因此如果丟掉了也不會有太大的損失；此外也可以用密碼來保護，萬一卡片掉了，沒有密碼就不能使用，這樣，風險就更小了。不會像目前的磁卡或信用卡，如果遺失的話，可能要擔心一下子就損失了好幾萬元。

另外，根據研究，電子現金有提高消費者消費的現象。也就是說，如果是使用非現金的支付工具，消費者比較會不知不覺增加他的消費額度，這對企業來說，應該也可以算是電子現金的一項優點。

電子現金的其他收入

另外，對企業來說，由於電子現金是儲藏在IC卡裡面，所以它在發行卡的時候，還有另外的收入。

譬如說如果卡片遺失，或是老外到台灣來買了一張卡片，走的時候可能還有些尾數沒用完，由於企業已經先把這筆錢收到了，所以這一部分也可以算是一種收入。

還有像是卡片上可以做廣告等等，也是卡片附加的收入。以中華電信的電話卡而言，有很可觀的收入，就是來自電話卡上面的廣告。

電子現金卡的安全性更是值得我們信任，現在先進電子現金的防偽功能，加上金鑰管理系統，幾乎已經做到了沒有辦法破解的程度了。因此，使用IC卡還可以降低偽鈔的風險。

改善資訊流

忠誠會員制電子化可以大幅改善資訊流，經由電子化處理的資訊流，我們能取得精密的情報資料。

就目前的技術而言，一般的收銀機已經能夠做到消費的時間、消費的項目以及消費的金額，電子化以後，它還能提供會員的姓名，以及其他的詳細資料，根據這些資料，我們可以做比較精密的族群分析：例如，三十歲到四十歲的這群人，他們會購買什麼樣的商品，什麼樣的商品是現在他們最喜歡的。

另外，針對單獨的消費者，我們也可以歸納出他的消費特性，譬如他買的東西全部是酒類，那我們可以了解他的消費特性是比較偏好哪一方面的商品，了解以後我們就能夠做所謂的精密行銷。精密行銷最簡單的方法，是固定寄給他最常消費的新商品消息。說穿了，精密行銷要達到的目的，就是投其所好。

在消費金額方面，我們能夠分析他單次的消費金額及總消費的金額多少，了解他是普通用戶或小用戶，還是一個超級大用戶。

在時間方面，我們可以掌握住消費者的時間特性，如他是每天夜行性的消費習慣，或是他每天固定來買早餐之類等等，我們能夠分析出什麼樣的商品在哪個時間、地點會賣得比較好，是什麼樣的人來買，這些都可以幫助我們做物流管理、商品銷售的分析以及商品的擺設地點等。

增加物流的其他機會

忠誠會員制電子化還能增加物流的其他機會。

在傳統的系統裡面，只有透過收銀機來處理買賣資訊，而在電子商務的系統中，消費者在家裡也可以用個人電腦或是Mondex的影像電話來消費、付款，同時還可以要求將訂購的商品送到家裡或最近的便利商店，這種不必到商店就可以銷售的情形以後會增加許多，當然也會促進物流。

忠誠會員制成功的關鍵

忠誠會員制成功的關鍵，有幾點是相當重要的。

專注

第一是專注。所謂的專注，是指要專注在某一個要達到的目的，而不是見異思遷，意圖吞併太多。國民卡可能是比較容易說明的例子。國民卡在一開始，是要作身分證使用，後來，因爲各種意見加進來，又要加上健保等等功能，到最後從原先很簡單的一個目的，延伸出一個很大的目的，所有的系統因此都跟著膨脹。引發的後果是，失去原來的焦點，每個單位都有各自的立場，結果變成一個複雜的系統，執行和管理就會非常困難。很多國外會員制會失敗的原因，就是沒有專注。

誘因

第二個是誘因。就消費者來講，如何讓他有很好的誘因，這是很重要的。以我個人來講，我現在如果出國的話，一定是用固定一張信用卡去支付各項支出，爲什麼?因爲它提供我百分之一的折扣，它每個月從我的帳單裡面扣掉百分之一。我總共有三、四張卡，但卻只用它，就是因爲有百分之一折扣的誘因。對消費者，我們要提供足夠的誘因，才會吸引他來使用這項產品。

成本

第三個是成本。雖然提供更好的誘因來吸引消費者，一定會增加我們的成本，但成功的會員制，不會完全只有支出，營運得法也可以是一個有利潤的制度。國外發行IC卡，除了現金和利息收入，也可以用廣告等方式增加利潤。當然，還有許多的機會和可能性隱藏在整個忠誠會員制之中，如何運用和整合，那就要看經營者的企圖和用心了。

e世界3

商務的未來：電子商務與電子金錢

1999年12月初版　　定價：新臺幣160元

著　　者　溫世仁
繪　　圖　蔡志忠
整　　編　侯吉諒
發 行 人　劉國瑞

出版者　聯經出版事業公司
臺北市忠孝東路四段555號
電　話：23620308・27627429
發行所：台北縣汐止市大同路一段367號
發行電話：26418661
郵政劃撥帳戶第0100559-3號
郵撥電話：26418662
印刷者　世和印製企業有限公司

責任編輯　方清河
特約編輯　張運宗
封面設計　吳惠菁

行政院新聞局出版事業登記證局版臺業字第0130號

本書如有缺頁，破損，倒裝請寄回發行所更換。
ISBN 957-08-2036-5（平裝）

國家圖書館出版品預行編目資料

商務的未來：電子商務與電子金錢 / 溫世仁著．
　蔡志忠繪圖．侯吉諒整編．--初版．
　　--臺北市：聯經，1999年
　　面；　　公分（e世界：3）

ISBN　957-08-2036-5(平裝)

1. 電子商業 2. 電子貨幣

490.29　　　　　　88016704

企業名著

●本書目定價若有調整，以再版新書版權頁上之定價爲準●

(2)非理性的時代	吳美真譯	180
(3)推銷高手講座	官如玉譯	180
(5)決策陷阱	張城生譯	180
(6)經濟學家眼中的世界	薛光濤、李華夏譯	280
(7)企業聯盟新戰略	梁炳球譯	150
(8)矽谷女傑	王家英譯	200
(9)揭開哈佛商學院的奧祕	張瓊玉譯	250
(10)豐田式品管	陳耀茂譯	200
(11)品管大師戴明博士	汪　益譯	250
(12)愛心與管理	胡家華譯	180
(13)日本的產業策略	劉仁傑著	250
(14)更上一層樓	梁炳球譯	120
(15)如何增進銷售技巧	樂以媛譯	170
(16)直效行銷術	梁英斌譯	280
(17)強勢推銷術	何灣嵐、張城生譯	180
(18)領導與整合	羅耀宗譯	180
(19)經營之奧秘	吳樹文譯	180
(20)顧客至上	彭淮棟譯	150
(21)日本企業革新與廿一世紀戰略	吳永寬等譯	230
(22)日本企業的兩岸投資策略	劉仁傑著	250
(23)吸引顧客的店	雷吉甫譯	250
(24)吸引女性顧客的店	葉珠娟譯	180
(25)旁觀者：杜魯克回憶錄	廖月娟譯	380
(26)哈佛商學院親歷記	唐慶華譯	200
(27)商業流程的再造	雷吉甫譯	160
(28)生活的經濟學	蓋瑞・貝克著	360
(29)非常訊號：如何做好企業績效評估	勤業管理顧問公司譯	280
(30)不確定年代的專案管理	信懷南著	250
(31)如何利用Internet行銷	張文慧著	200
(32)變動法則	樂為良譯	160
(33)創意合作	黃裕美譯	270
(34)超越競爭	陳綉玲譯	290
(35)NPS新生產技術的魅力	許文治著	250
(36)專案管理	王慶富著	280
(37)國家創新系統與競爭力	徐作聖著	280
(38)公司併購教戰守則	林進富著	250
(39)總經理的新衣	葉匡時著	220

領導人叢書